A Editora Hunter Books dedica a publicação desta obra à:
Joaquim Varela de Lima

A LUTA PELO DIREITO

Diretor Geral
ADO VARELA

Coordenação editorial
LUMIAR DESIGN ESTÚDIO
DOMINIQUE MAKINS

Revisão
CARITA FERRARI NEGROMONTE

Projeto gráfico e capa
LUMIAR DESIGN ESTÚDIO

Coordenação de produção
EQUIPE EDITORIAL HUNTERBOOKS EDITORA

Impresso no Brasil
Printed in Brazil

A LUTA PELO DIREITO

Rudolph Von Jhering

TRADUÇÃO:
Dominique Makins

HUNTER BOOKS

Título original:
DER KAMPF UMS RECHT
Em inglês: THE STRUGGLE FOR LAW

1ª edição – Fevereiro de 2012

Grafia atualizada segundo o Acordo Ortográfico da Língua Portuguesa
de 1990, que entrou em vigor no brasil em 2009.

HUNTER BOOKS EDITORA
Rua Domingos Bicudo, 385
São Paulo - SP
CEP 05855-300

editorial@hunterbooks.com.br
comercial@hunterbooks.com.br
hunterbooks.com.br

DADOS INTERNACIONAIS DE CATALOGAÇÃO NA PUBLICAÇÃO (CIP)
(Elaboração: Aglaé de Lima Fierli CRB- 9/412)

V915L Von Jhering, Rudolph , 1818-1892.
A luta pelo direito = Der kampf ums recht / Rodolph Von Jhering; tradução de Dominique Makins. – São Paulo: Hunter Books, 2012.
160p. : 13x21cm.

ISBN: 978-85-65042-06-2

1. Direito alemão. 2. Direito - História. 3. Direito – Filosofia. I. Título. II. Makins, Dominique., trad.

CDD – 340.1

INDICE PARA CATÁLOGO SISTEMÁTICO
Direito: Filosofia 340.1
Direito : História 340.09
Direito : Alemanha 340.0943

Para
George W. Smith
Da Bar of Chicago
respeitosamente dedico este livro

SUMÁRIO

INTRODUÇÃO AO LIVRO TRADUZIDO

De Albert Kocourek[1]

1 Professor de Jurisprudência da Northwest University.

É o destino da maioria dos homens seguir o caminho que já foi aberto, usar ferramentas que já foram desenvolvidas e pensar em termos que já foram pensados. Nessas vidas não há lugar para cataclismos, ou grandes eventos; também não há lugar ali para discussões sobre a ordem já existente, ou esforços para mudar o curso dos eventos. Essas vidas são a célula principal do órgão social, reagindo de forma mecânica, ou pelo menos sem resistência fixa, às influências internas ou externas. Raramente, porém, na complexa teia da história, um labirinto de linhas se cruzará em um ponto em comum para destacar pessoas de grande sorte ou azar. Assim foram as imagens utilizadas por um romancista renomado para explicar as suas opiniões fatalistas; e, se há mérito nessa figura vívida, não teremos nenhuma dificuldade em imaginar uma conjunção positiva para explicar a brilhante carreira de Rudolph Von Jhering.

Não é preciso ler muito sobre jurisprudência para deparar com o seu nome e sua influência. Ele construiu novos caminhos, criou novas ferramentas e novas ideais. Veio ao palco do mundo como a última grande influência após séculos de batalhas, começando com o reavivamento do estudo da lei Romana em Bologna e os sucessivos estágios dos Glossadores e Comentaristas, "Mos Italicus" e "Mos Gallicus," a Escola Prática e a Escola Natural, e finalmente a Escola Histórica, para detalhar as diferenças entre os Romanistas e os Germanistas, e para preparar o caminho para o Código Civil.[1]

Jhering, filho de advogado, nasceu em Aurich na costa do Mar Norte, em East Frísia, no dia 22 de agosto 1818. Ele estudou direito em Heidelberg, e, (após o costume estabelecido de estudantes alemães de passear de uma universidade para outra), também em Munique, Göttingen e Berlim. Ele se tornou um "Privat-Docent" em Berlim em 1844 assim como Gustav Hugo, o fundador da Escola Histórica que Jhering ia mais tarde tirar do poder. Ele se tornou professor comum em Basel em 1845, em Rostock em 1846 e em Göttingen em 1872, onde permaneceu até a sua morte, dia 7 de setembro 1892.[2]

---

1 Para um relatório completo sobre o desenvolvimento do Direito Alemão, veja *A General Survey of (etc.) Continental Legal History* (*Continental Legal History Series*, Vol. I), Boston, 1912, pág. 311 seq.

2 Os textos seguintes tratam da vida, personalidade e trabalho de Jhering de uma forma mais completa da que pode ser colocada aqui: M. de Jonge, *Rud. Von Jhering* (1888); A. Merkel, *Rud. Von Jhering* (1893) (traduzido como um apêndice de Jhering, *Law as a Means to an End*) (*Modern Legal Philosophy Series*, Vol.V); Eck, "*Zur Feier dês ged achtnisses Von B. Windscheid und R. v. Jhering*" (1893); Munroe Smith, *Four German Jurists*, Pol. Sc. Q., Vols. X, XI, XII. Referência também pode ser feita ao volume II, em *Continental Legal History Series*, sob o título *Great Jurists of the Wolrd from Papinian to Von Jhering.*

Se Jhering não houvesse se tornado o mais renomado jurista da segunda metade do último século, não é improvável que ele teria alcançado a fama em qualquer outra carreira em que para obter sucesso é importante a personalidade, o domínio amplo e sagaz de realidades complexas, ou qualidade literária. O poder de sua personalidade é atestado por meio de sua grande popularidade; suas palestras estavam sempre cheias de ouvintes; e a sua casa era o templo que todos os devotos do mundo adoravam. Ideias desapareciam e homens sumiam diante dele. Merkel, que também se tornou um renomado jurista, diz que, após ouvir a palestra de Jhering sobre a Lei romana, a discurso de Vangerow se tornou um livro fechado. Ele era capaz de gerar muito entusiasmo, atrair pessoas de dentro e fora da universidade e colorir com cores vívidas os temas neutros da lei. Podia influenciar o mundo pela sua presença física e também da mesma forma pelas suas escritas. É natural especular sobre o que poderia ter sido a carreira de tal homem se os seus trabalhos tivessem sido não apenas com o público culto, mas com as massas desorganizadas e não pensantes sobre assuntos mais intrigantes do que as matérias pouco tocantes da ciência legal. Em um encontro amigável, ele poderia criar ou subverter uma dinastia. A qualidade literária das escritas de Jhering podem ser muito bem notadas na primeiras linhas de *Geist*, que podem ser confundidas com um épico sonoro. Outra fase é exibida no texto aqui publicado. Um dever moral nunca antes foi afirmado com tanta eloquência; nunca antes "um sermão leigo dirigido à consciência"[3] foi tão espontaneamente aceito. Em dois anos este texto teve doze edições, e, apesar de ter sido publicado inicialmente em Alemão há mais de quarenta anos, ele ainda está sendo republicado, sendo a última edição alemã a décima oitava. Até então ele já foi publicado em trinta línguas, incluindo o japonês. Já foram feitas duas traduções para o inglês, a atual publicado pela Callaghan & Co. em 1879 e uma edição publicado em Londres em 1884 com o título *Battle for Right*. A presente obra foi até inspiração para o romance de Karl Emil Franzos publicado em 1882 com o mesmo título alemão.

Os livros de juristas normalmente não interessam a mente do leitor comum; via de regra são limitados a algum sistema de leis definido e àqueles tecnicamente ligados a esse sistema. Grande parte das escritas de Jhering, porém, é de interesse de todos, independente de fronteiras geográficas, e tem ganhado a mais ampla recepção que qualquer outro jurista europeu, não apenas entre os conhecedores da lei, mas também entre os

3 Munroe Smith, *Four German Jurists*, Pol. Sc. Q., XI, 301. Professor Smith ouviu a palestra de Jhering sobre a Lei Romana, e o seu ensaio então parece uma nota íntima que agrega valor a sua análise. Este estudo também mostra a importância dominante de Jhering, e o texto do Professor Smith poderia ser *Jhering and Three other German Jurists*.

leigos. Não é difícil compreender essa fama incomum e feliz de Jhering; pois ela parece estar fundada em dois alicerces: primeiro, que ele tratou preferencialmente do que Austin chamou ideias legais disseminadas – ideias de importância universal, ideias não limitadas por fatos históricos ou particularidades de sistemas legais; e, em segundo lugar, que ele tinha o dom de uma poderosa apresentação literária. Jhering era um filósofo da lei, se não sobre a lei, e se ele tivesse sido menos não é improvável que ele teria continuado sendo um fator nacional de importância limitada, em vez de se tornar uma figura internacional.

A biografia comparativa era uma arte conhecida antes de as pessoas ao menos pensarem em lei comparativa; e escritores que examinaram as vidas de juristas têm muitas vezes usado o método comparativo. No caso de Jhering, o contrapeso tem naturalmente sido ou Windscheid (que morreu no mesmo ano e algumas semanas após Jhering, e cujo tempo de vida foi quase idêntico ao de Jhering), ou Savigny, o representante mais evidente da Escola Histórica. As diferenças são enormes em ambos os casos em qualquer uma das áreas, seja em personalidade, seja em método, seja em ideias. Savigny, ao mesmo tempo em que era o líder de uma grande escola, era o maior Romanista da primeira metade do século XIX. Jhering, aos 24 anos havia escrito um estudo de doutorado, "De hereditate possidente" (Berlim, 1842), que já era considerado "uma tese notável", e, quando em 1852 (aos 34 anos) ele publicou a primeira edição do seu *Geist*, a estrela da genialidade de Savigny perdeu o brilho com a fama resplandecente de Jhering.

A teoria da Escola Histórica, de um crescimento inconsciente da lei, foi rejeitada por Jhering, que insistia em o propósito consciente como sendo o fator dominante da evolução legal.[4]

Duas observações podem ser feitas a este momento: primeiro, que teorias na lei da ciência necessariamente produzem consequências importantes em qualquer sistema legal. A era legislativa não poderia ter acontecido se a Escola Histórica permanecesse em ascendência. Se é para supor que Savigny tinha a intenção de afirmar uma falta de competência irremediável nas pessoas para atingir o estado consciente da legislação, então esse jurista renomado foi poupado de parte da angústia mental pela qual passaria se tivesse testemunhado a refutação histórica de tal posição caso sua vida fosse prolongada por mais um quarto de século. Ele próprio se tornou Ministro da Prússia para a revisão da legislação e testemunhou a formulação do General German Bills of Exchange

4 Tanon, *L'Evolution Du Droit et la Conscience Sociale* (3ª edição, Paris, 1911), pág. 44 seq. Essa parte do texto do Juíz Tanon foi traduzida como um apêndice a Jhering, *Law as a Means*, etc. (veja nota de rodapé n. 3); Alessandro Levi, *Contributi ad uma Teoria filosofica dell' ordine giuridico*, Sec. 34, pág. 402 seq.

Code (1874) e o General German Commercial Code (1861) na época do *Bund*, mas o destino fechou os seus olhos antes do estatuto imperial (1873), que autorizava a comissão a codificar todo o domínio da lei privada, resultando finalmente (1896) no estabelecimento do Código Civil Alemão.

A segunda observação é que qualquer afirmação de um princípio simples e unificador no campo da casualidade é capaz de afirmar demais. Está completamente claro para nós, agora, que havia um elemento importante de verdade na teoria de um desenvolvimento inconsciente da lei, e é igualmente aparente que o princípio de propósito também é verdadeiro. O erro está em dizer que há apenas uma operação exclusiva para qualquer teoria da lei. É, porém, uma das fases mais interessantes do estudo histórico seguir ações e reações às ideias, e Jhering era um homem capaz de fazer isso de uma maneira inspirada, olhando as complicações no fluxo da vida. O espiral ascendente da evolução do pensamento jurista está claramente visível, para falar apenas dos séculos mais recentes, na era do racionalismo com o seu resultado revolucionário, que permitiu a chegada de uma era de conservadorismo reacionário na Escola Histórica, mais tarde substituída pela época da legislação e da socialização da lei. Mas, agora, para tentar uma generalização simples da casualidade na história, mesmo com a nossa sabedoria mais forte, e em vistas do acúmulo de experiência, poderia ser tão perigoso e inadequado quanto antes. Deve ser notado que, quando falamos de causalidade, entramos na esfera do historiador e jurista, tarefas em que Jhering ganhou mais fama. É verdade que mais tarde Jhering examinou o traiçoeiro problema da finalidade – um problema perigoso até para o filósofo treinado – mas acredita-se que, se ele tivesse se restringido às suas primeiras aspirações, o seu trabalho teria permanecido um monumento de inquestionável estudo legal ao longo do tempo.

Merkel faz uma iluminada comparação entre Savigny e Jhering suficiente por si só para explicar as diferenças de personalidade desses dois grandes civis.[5] Savigny, diz ele, se escondia nas sombras da sua tela. Ambos eram mestres de expressão, mas Savigny escondeu a sua personalidade atrás do seu trabalho, enquanto Jhering se projetava vivendo a realidade em cada linha. Ele tentava, como diz Merkel novamente, levar o seu leitor em meio à tempestade. Savigny se resguardava e direcionava a força das suas ideais a uma distância calculada, enquanto Jhering lutava a sua batalha na linha de frente e determinava os assuntos da guerra usando a ajuda da sua presença conquistadora.

---

5 Op. cit. (nota de rodapé n. 3).

De Windscheid, que era a grande figura em Viena quando Jhering era a grande atração em Göttingen, nós podemos falar novamente ligados a uma teoria legal fundamental que tem se tornado muito prática e uma questão muito controversa na ciência legal alemã durante muitas décadas.[6] Windscheid definiu direitos do ponto de vista de proteção da vontade,[7] enquanto Jhering se interessava pela essência dos direitos. As consequências lógicas do ponto de vista de Windscheid era uma concepção formal, individualista e não histórica da lei; enquanto a definição de Jhering, pelo contrário, levava ao exato oposto e investia na lei uma função social positiva.[8] Windscheid permaneceu com seu ponto de vista até o final, mas o ponto de vista de Jhering atraiu o maior número de seguidores e parece ser o que mais indica a verdadeira natureza dos direitos como são aceitos por qualquer umas das atuais escolas de filosofia legal.

Sem a noção dos interesses, formulados por Jhering em *Geist*, ele não poderia ter chegado à concepção do *Zweck*. Se direitos são interesses legalmente protegidos, segue que o Estado deve determinar quais interesses

6 Gareis, *Introduction to the Science of Law (Modern Legal Philosophy Series*, I), pág. 33.

7 *Recht ist eine Von der Rechtsordnung verliehene Willensmacht oder Willensherrschaft*, – Windsheid, *Lehrbuch dês Pandektenrechts*, 9ª edição (Kipp), 1906, erster Band, pág. 156 (e nota 3).

8 Roscoe Pound, *The Scope and Purpose of Sociological Jurisprudence*, Harvard Law Ver., XXV, 2, 143; Korkunov, *Theory of Law* (Hasting's tr.) (*Modern Leg. Phil. Ser.*, IV) pág. 107 seq.

ele selecionará como sendo necessários proteger, e essa pergunta então logicamente leva a mais um questionamento sobre o propósito da lei, que Jhering colocou na forma do princípio, "o objeto é o criador da lei". Com esse raciocínio, ele buscou subir à altura filosófica e, independente do que se pense sobre os seus esforços, não se pode duvidar que ele estabeleceu um alicerce pragmático senão metafísico para uma nova construção jurista que permitiu que a lei emergisse da ruela escura aonde tinha ido parar seguindo Kant.

Talvez ainda seja uma pergunta se filosofias criam movimentos no mundo externo ou se elas apenas refletem ou seguem esses movimentos; mas de qualquer forma o utilitarianismo social de Jhering veio na mesma época para sincronizar com o mais importante desenvolvimento da lei nos tempos modernos – a mudança da ênfase individual para a social. A solução de Jhering, porém, não foi a única fuga da ruela escura de Kant. Os Neo-Kantianos, também, tornaram-se utilitarianos sociais, mas o Estado deles tem a personalidade negativa de um "Rechtsstaat." Stammler, o expoente líder de um Kantianismo revisado, é incapaz de dizer um único princípio positivo para governar as atitudes da lei. A diferença entre "não faça" e "faça" é tudo o que separa as civilizações do Oriente do Ocidente, e um sistema de filosofia legal que torna a função do Estado igual a de um policial de rua não pode produzir nada menos progressivo que o sistema de lei Chinês. Mesmo com a sua filosofia e psicologia rara, o *Zweck* de Jhering deve portanto levar preferência sobre o *Richtiges Recht* de Stammler.

Comparado com um criador enciclopédico como Kohler, que muitos anos atrás se envolveu em uma troca de ideias tipicamente Alemã com Jhering sobre o problema Shylock levantado em seu trabalho[9], mas que viveu para sobrepassar Jhering no reinado da fama e se tornar o líder jurista mundial, a sua obra não sendo maior do que se espera, nem em tamanho nem em conteúdo.

Resumindo, a obra de Jhering inclui:

(1) *Abhandlungen aus dem römischen Recht* (1844); (2) *Civilrechtsfälle ohne Entscheidungen* (1847); (3) *Geist des römischen Rechts auf den verschiedenen Stufen seiner Entwickelung* (4 vols., 1852-65); (4) *Das Schuldmoment im römischen Privatrecht* (1867); (5) *Über den Grund des Besitzeschutzes* (1868); (6) *Die Jurisprudenz des täglichen Lebens* (1870); (7) *Der Kampf ums Rechts* (1872) (o presente trabalho); (8) *Der Zweck im Recht* (2 vols., 1877-83); (9) *Vermischte Schriften juristischen Inhalts* (1879); (10) *Gesammelte Aufsätze* (3 vols. 1881-86); (11) *Das Trinkgeld* (1882); (12) *Scherz und Ernst in der Jurisprudenz* (1885); (13) *Der Besitzwille: Zugleich eine Kritik der herrschenden juristischen Methode* (1889); e após sua morte: (14) *Vorgeschichte der Indo-Europäer*

9 Kohler, *Shakespeare vor dem Fórum der Jurisprudenz*, (Würzburd, 1883), and *Nachwort* (1884).

(1894); (15) *Entwickelungsgeschichte des römischen Rechts: Einleitung* (1894).[10]

---

10 Jhering tem sido afortunado sobre todos os seus juristas contemporâneos pela extensão das suas escritas em línguas estrangeiras. O *Geist* (N. (3)), e muitas das suas outras obras foram traduzidas para o francês. Também há uma tradução Italiana do *Geist*, e outras traduções baseadas no francês para português, espanhol e japonês. Apesar de nenhum jurista europeu ser mais conhecido na América ou Inglaterra do que Jhering, infelizmente não foi feita nenhuma tradução para o inglês, partes das quais são de muita importância para o que Austin chama de jurisprudência "geral" e o que Salmond chama de jurisprudência "teórica".
O *Jurisprudenz* (N. (6)), de acordo com o prefácio do autor na sua oitava edição (1891), já havia sido traduzido para o italiano, húngaro, grego e português. Uma tradução inglesa foi feita por Henry Goudy (Oxford, 1904). Este trabalho é muito utilizado por professores; o presente escritor o achou útil em exames em jurisprudência analítica. Aqui, o senso das realidades legais é desenvolvido até alto nível. Ninguém, fora um homem altamente saturado com o sentimento de onipresença da lei e das relações legais, pensaria em examinar a questão se um hóspede em um hotel tem o direito de levar as velas pelas quais ele foi cobrado, ou se ele pode colocar no bolso a fruta que foi servida à mesa (tradução de Goudy, pág. 24). Dr. Wigmore, reitor da Northwestern University School of Law, talvez, sobre a sugestão desses incidentes do dia a dia, publicou em seu livro uma coleção de instâncias muito parecidas em sua novidade, interesses e valor analítico.
O *Zweck* (N. (8)) foi traduzido para o francês e o primeiro volume deve ser publicado em breve em uma tradução para o inglês pelo Dr. Isaac Husik of the University of Pennsylvania ("Modern Legal Philosophy Series," Vol. V) pelo The Boston Book Company. Essa edição traduzida terá um valioso material introdutório que infelizmente o presente autor não pode consultar.
Humor legal é uma antiga instituição; é a agência que humaniza as operações da máquina legal. Humor jursita, porém, é algo pouco conhecido na nossa literatura. A contribuição de Jhering para esse tipo de escrita é o seu *Scherz und Ernst* (N. (12)), que constitui matérias anônimas publicadas enquanto ele estava em Giessen, e *Talks of a Civilian*, publicados em Viena. O veículo é amigável, mas o tema é sério para o direito. Pode ser considerado uma perda para nós este trabalho não estar publicado em inglês, já que os problemas levantados nesta obra são de interesse especial agora em vista das grandes mudanças que estão dando um novo rumo ao Direito Comum.
Das obras restantes o *Vorgeschichte* (14) também foi traduzido para o inglês. Essa obra não somou nada à fama de Jhering, e pode ser questionado se ele se familiarizou suficientemente com o extenso leque de materiais sobre qual algo tão ambicioso deveria estar fundado. Essa obra portanto, no campo da história universal é defeituosa pelas mesmas razões pela qual o *Zweck* é no departamento de filosofia geral, em que ele busca examinar problemas dos quais o autor não tem conhecimento ou experiência especial.

Jhering trabalhou muito até o final e, apesar de ter falecido com mais de setenta anos, deixou para trás muitas obras em fase de preparação, incompletas. O seu impulso para criar não tinha fronteiras, cada ideia levava a uma série de mais ideias, e o seu corpo físico não conseguia acompanhar a sua atividade mental. Por essa razão, as suas grandes obras são na realidade apenas fragmentos. O *Geist* permaneceu incompleto quando ele escreveu o *Zweck*, e este último trabalho era apenas parte do seu plano para tratar todo o domínio das divisões normativas da vida social. Esta obra foi um fragmento escrito durante o desenvolvimento de *Zweck*.

Das realizações de Jhering, o *Geist* será sem dúvidas permanentemente visto como o seu maio esforço.[11] Quando começou a ser publicado, Rudorff, um civil da Escola Histórica, se referiu a ele em termos de reprovação no seu *History of Roman Law* (1857-59); mas essa reflexão foi um dos últimos ruídos de uma teoria da lei ultrapassada. Quão frequentemente um pai amoroso é incapaz de julgar os seus próprios filhos de forma imparcial e justa é mostrada por meio da história da literatura. Jhering considerava o seu *Zweck* muito acima do seu *Geist*, e se ele pudesse ter visto que o julgamento posterior seria contrário, certamente teria ficado desapontado apesar de o seu prefácio de *Zweck* colocar sombra sobre o resultado.

11 But cf. Berolzheimer, *The World's Lgeal Philosophies (Mrs. Jastrow's tr.) (Mod. Leg. Phil. Ser.,"* II), pág. 337 seq.

O período criativo de Jhering pode ser convenientemente dividido em duas partes, tomando o seu quinquagésimo ano como o ponto da separação. Os trabalhos do período anterior devem ser preferidos sobre os dos anos posteriores. Apesar de não ter havido nenhuma abatimento dessa força dinâmica ao longo dos anos, há uma queda aparente do valor dos seus frutos. As suas escritas póstumas estão decididamente em contraste negativo com os seus primeiros estudos.[12] Ele surgiu de uma lei nacional a uma lei universal, mas a medida que as suas ideias se tornaram mais gerais elas também se tornavam menos tênues. Como um realista se confinando aos fatos que ele examinava, com a intuição de um gênio, e lidando com a "prática", ele era incomparável; mas quando ele tentou um voo para um país desconhecido deixou para trás os produtos substanciais de um intelecto vigoroso e fértil para entrar em um domínio vazio, como o *Begriffshimmel* criado para ele pelos Romanistas.

As razões que levam Jhering a ser tão distinto estão apoiadas nos seguintes fatos:

1. Ele universalizou a Lei Romana, aprovando de uma vez sua recepção e as mudanças que haviam sido feitas nela na Idade Média, e assim ficou em um meio termo entre o nacionalismo rígido da Escola Histórica e os clamores patriotas dos alemães. Os Romanistas teriam

12 Veja Posener, *Rechtslexikon*, I, s.v. *Jhering*.

impostos no país da Lei Bizantina, enquanto os patriotas teriam-na destruído desde a raiz até as pontas. A atitude de Jhering nessa controvérsia pode ser vista pelo fato de que com Gerber, um Germanista, ele fundou (1856) um jornal para o estudo da dogmática da moderna lei privada Romana e Alemã. Esse conflito entre a lei de um império estrangeiro e extinto e os costumes doméstico atuais era uma herança de séculos; e enquanto a eterna batalha havia se aquietado, crédito precisa ser dado à Jhering por ter usado a sua influência em direção da única solução prática e possível para os esforços da Alemanha para obter um sistema unificado de leis.

2. Ele é o fundador do moderno realismo legal, e o progenitor o lado jurista, como Comte é o progenitor do lado filosófico, da Escola Sociológica de Jurisprudência.

Jhering era um inimigo amargo (se não sempre constante) do subjetivo; isso está aparente quando ele se opõe, em sua grande obra sobre posse, ao *animus* da teoria de Savigny;[13] na sua concepção de direitos quando ele rejeita a vontade como o fator central; no método legal, quando ele estabelece a jurisprudência dos fatos contra a jurisprudência de conceitos. A cultivação da lei Romana havia se tornado um processo de dedução de raciocínio legal que procurava fazer com que as realidades dos séculos posteriores e de circunstâncias alteradas

13 Munroe Smith, op. cit.; Salmond, *Jurisprudence*, 3ª edição, pág. 263 seq.; Holland, *Elements of Jurisprudence* (11a ed.), pág. 196 seq.

com o tempo se encaixassem de forma arbitrária à forma verbal de ideias da época de Paulus.[14] Mas Jhering não era inimigo do subjetivo no seu tratamento da evolução legal, já que essa própria evolução é a expressão de um propósito. A lei não é apenas teleológica, mas psicológica. A psicologia de instituições legais, porém, deve ter uma base factual, e não pode ficar confinada, ele insiste, a um sistema de ideias puramente conceitual e não histórica governada por construções lógicas fixas.

Não pode ser dito que Jhering foi o primeiro a levantar a questão do problema do método legal, mas nunca antes ou depois um método puramente conceitual foi examinado com mais vigor ou eficácia. O grande mérito de Jhering aqui está em ele ter esclarecido essa questão e ter avançado o fator teleológico que reside em todas as regras legais. Nem *Geist* nem *Zweck* contêm uma análise detalhada do problema da lógica legal, e o *Scherz* era literário demais para providenciar uma solução. Jhering combateu a sobre-extensão do processo conceitual, mas o ardor do ataque satírico não o permitiu examinar e encontrar as fronteiras da sua necessária e justificável operação.

3. Por último, (passando por cima da inquestionável proeminência de Jhering como um historiador da lei Romana, sua autoridade em várias questões específicas da lei

---

14 Sternberg, *Allgemeine Rechtslehre*, erster Teil, pág. 191 seq.

dogmática, e o seu trabalho como professor), a maior importância de Jhering, como já foi sugerido, é em virtude de seu tratamento da natureza dos direitos legais sobre os quais ele estabeleceu a base jurista para uma reconstrução social das instituições legais. A sua própria interpretação do teste da política legislativa – utilidade social – pode ser rejeitada como amorfosa, como um "molusco de ideias", sem deixar de ver o grande valor e a importância prática da sua descoberta original. Ao menos que seja dito que o mundo se move independentemente dos pensamentos dos cientistas legais e dos filósofos legais, é inconcebível que Estados civilizados teriam rompido as barreiras do século XVIII sem o impulso da ideia de Jhering. É preciso pouca imaginação para imaginar como seria a vida social sobre a pressão do aprendizado e da invenção nos últimos cem anos, se estivéssemos operando sob uma teoria legal, um governo e uma economia *laissez-faire*. Em virtude disso, e sem contar com qualquer outro feito que ele tenha conseguido, Jhering merece um lugar importante entre os maiores juristas criativos mundiais.

Sobre esta presente obra, pode ser ainda dito de forma bastante justa aquilo que foi colocado por um resenhista competente quando foi publicada a primeira edição desta tradução,[15] que é "o livro mais brilhante, original e

15 Albany Law Journal, XX 444 (1879).

significante sobre o Genesis e o desenvolvimento da lei desde Montesquieu"; mas pode ser afirmado, talvez levantando menos protestos, que é uma das espécies mais famosas de escrita jurista que o mundo já viu. O introdutor pode, porém, fazer dois breves comentários: (1) um dever moral na afirmação de direitos é uma proposição indemonstrável[16]; e (2) a irritação resultante da infração dos direitos de alguém pode, às vezes, ser

16 Não é necessário que um espírito saia do túmulo para nos dizer que a proposição de Jhering de um dever para manter os direitos de uma pessoa permanente e a lei tem certas afinidades com a doutrina de que é o direito e o dever do Estado entrar em Guerra. Os mesmos argumentos biológicos apoiam os dois pontos de vista. Na batalha pelos direitos, até mesmo o Estado, do seu ponto de vista, deve ser considerado uma obstrução biológica. Aqueles que afirmam o direito moral e a necessidade das nações de entrar em guerra para servir os seus interesses não hesitam em dizer que "a lei a uma jogo para fracos". Jhering como um advogado provavelmente não poderia ter aceitado um princípio tão vasto e revolucionário, mesmo arriscando ser inconsistente em sua hesitação. Porém, o único estado da sociedade em que seu dever ético de autoafirmação poderia ter qualquer validade seria em um estado de não interferência política. Nos dias primitivos de vingança pessoal, tal teoria provavelmente não precisaria ser qualificada; mas assim que o Estado parou de ser uma mera máquina militar, e achou importante interferir em brigas particulares no interesse da paz, o argumento biológico ficou menos claro e os aspectos morais da questão, mais duvidosos. E agora, na Idade Moderna, quando o Estado procura fazer justiça entre as partes, os problemas do litígio se tornaram ainda mais complexos. A corte moderna é como a assembleia tribal, e agora é difícil alguém procurar as cortes para reivindicar a sua coragem ou promover a sua honra. Um triste capítulo poderia ser escrito sobre a forma que o Estado tem desencorajado o gosto pelo litígio. Nós só temos que pensar, entre outras coisas, na posição desonrosa da testemunha que tem se tornado um fator importante para que as cortes não sejam populares, dos relatos da mídia sensacionalista e do processo do litígio. É improvável que qualquer outra mudança, exceto a simples reversão para a justiça primitiva, consiga devolver o espírito de autoafirmação que não existe mais na lei e que procurou outras formas de se expressar.

manifestada mais eficientemente do que por meio dos métodos de procedimento.[17]

ALBERT KOCOUREK
Northwestern University.

17 Até mesmo o litígio comercial está buscando uma forma de escapar das demoras e dificuldades da justiça. Deve estar claro, portanto, que a situação processual não oferece nenhuma vantagem para reações ideais contra o que o autor chama injustiça subjetiva. Mas há uma razão maior que impele a autoasserção a seguir o caminho de "lei do clube" ou, mais provável ainda, o silêncio. Quando Jhering escreveu este texto (1872), ele não poderia prever a centralização do comércio, da indústria, do crédito e da população que tem revolucionado o mundo nas últimas décadas. Na sociedade antiga, os direitos individuais eram submersos nas atividades do grupo. A personalidade nunca foi tão bem protegida pela lei quanto a propriedade; mas, quando Jhering escreveu, os direitos individuais das pessoas já haviam alcançado os seus pontos máximos em uma evolução de vários séculos. Se qualquer coisa pode ser prevista para o futuro, talvez, pode-se dizer que o indivíduo está rapidamente a caminho de perder sua identidade. O mundo moderno, com os seus sistemas, eficiências, e pragmatismo está destruindo a liberdade pitoresca e a iniciativa do indivíduo. Será necessário outra era para restaurá-lo à posição em que Jhering o teria exaltado.

NOTA DO TRADUTOR DO ALEMÃO

O trecho que segue é do prefácio à tradução francesa do texto do Dr. Von Jhering. O autor, ao longo da sua obra, refuta a teoria de Savigny-Puchta sobre a origem da lei. Para explicar essa teoria em mais detalhes, ele forneceu o seguinte texto ao tradutor francês:

"A Alemanha mal tinha saído das guerras de Napoleão I, que o desejo de ver as leis da nação reduzidas a um código foi manifestada, e Thibaut, um dos mais renomados legistas da época, publicamente usou a sua eloquência para promover esse fim. Não era de se surpreender que esse desejo não teve o apoio dos príncipes e governos da Alemanha. Eles estavam bem cientes da necessidade de preservar os seus interesses, na medida do possível, da existente confusão política e judicial, do país. O que foi mais interessante era o fato de que os advogados alemães que se imaginariam, teriam uma opinião sobre o assunto, protestaram, por meio de um dos seus mais ilustres representantes, Savigny, que, em apoio a esse protesto, publicou com o título: *Vom Beruf unsrer Zeit für Gesetzgebung und Rechtswissenschaft*, (Berlim, 1814; 3ª edição, 1840), uma obra, não muito volumosa, mas de grande importância na história da jurisprudência alemã. O objetivo de Savigny era mostrar como não era razoável querer reduzir as leis a um código. Coleções desse tipo, disse Savigny, eram afinal mais um mal do que um bem. Não pensamos neles quando a época é boa, pois não são necessários. Roma é um exemplo disso (como se as leis das XII Tábuas e os Editos Pretorianos nunca tivessem existido), e, em tempos desfavoráveis (como aqueles em que ele viveu), as pessoas não possuem nem educação política nem habilidade necessárias para tal; e ele passou a tentar comprovar as suas afirmações usando trechos isolados da legislação da Prússia, Áustria e França daquela época.

"A ironia do destino fez com que com a coroação do seu pupilo e protetor, William IV, ele teve a oportunidade de trocar a sua cadeira de professor para a mais alta posição no Departamento de Justiça, especialmente criada para ele. Savigny, o teorizador e oponente da legislação, teve a fraqueza de aceitar o posto e teve a possibilidade de demonstrar o que ele chamava de: "o desejo de escolher o nosso próprio tempo para a legislação", quando as regulamentações relativas a cartas de câmbio e o código comercial alemão que apareceram quase na mesma época fortemente demonstravam opinião contra as suas afirmações.

"A teoria que ele avançou nesta ocasião sobre a lei e legislação não foi inteiramente nova, mas é o mérito de Savigny ter o apresentado sob luz científica, e assim ter permitido que ela fosse chamada ciência. De acordo com essa teoria, a primeira lei, pelo mundo afora, foi a lei do costume. Essa lei não foi nem criada nem buscada. Ela se criou por si só, assim como a linguagem se criou, e se desenvolveu internamente, nas convicções das pessoas, externamente na ordem da vida. Essa lei de costume é a forma natural de toda lei, na presença da qual a legislação é algo artificial, mecânico, um invasor na ordem natural. O legislador é, por assim dizer, para a lei do costume o que o médico é para a natureza. A natureza deveria se ajudar; o médico deve interferir o mínimo possível; pois a sua simples presença demonstra que a condição natural está perturbada e que a doença existe."

"Assim Savigny completamente reverte a verdadeira relação estabelecida pelo velho ensinamento entre a legislação e o lei do costume. Como ele, a lei do costume vem em primeiro lugar, e a legislação depois. Por quê? – perguntamos. O autor não nos dá nenhuma resposta fora sua opinião preconcebida, de acordo com a condição primitiva das coisas. Como as instituições antigas Romanas não podiam ser rastreadas a atos legislativos, Savigny conclui que eles passaram a existir sozinhos. Não poderíamos dizer, usando o mesmo raciocínio, que um homem que não sabe dizer quem era seus bisavós não teve bisavós. Aqui está a causa do erro. A memória da origem dos princípios legais está perdida ao longo dos séculos. Aquilo que, a princípio, era necessário buscar, para conseguir por meio da conquista, consegue através do tempo ganhar uma moralidade sobre as mentes tão grande, e uma fixação externa tão forte, que parece bem natural sempre ter sido assim. Assim foi a miragem que enganou Savigny. A sua teoria não tem nenhuma outra base, e foi possível apenas porque os tempos anteriores não nos falaram sobre como os princípios da lei vieram a existir. Se, quando ele se tornou representante da Escola Histórica, Savigny tivesse colocado a sua teoria da relação da legislação à lei do costume de acordo com a história que providencia certa informação sobre essa questão, ele teria visto que a opinião dada naquele momento, a que ele que deu tão pouca importância, estava correta, que a legislação é a fonte normal da lei, e que a lei dos costume é simplesmente uma fonte secundária e limitada de ação. A opinião em que ela atribuía poder demais à legislação foi longe demais. E, realmente, a onipotência do legislador foi um artigo usado no Absolutismo que governou o sétimo e o oitavo século. Acreditava-se que tudo que era preciso para mudar a natureza das coisas vinha de um decreto maior, e a própria jurisprudência dividia essa crença na onipotência da legislação. Nesse sentido, a oposição de Savigny à doutrina era quase legítima e beneficente, mas isso não era suficiente para ignorar a possibilidade e eficiência de uma codificação, e esse grande homem, ao combater uma doutrina exagerada, caiu em outro contrário exagero."

"Sua teoria foi desenvolvida e apresentada em detalhes em uma obra escrita em 1828, por Puchta, um dos seus mais ilustres seguidores."

Aquilo que o Dr. Von Jhering diz da origem da lei em geral é verdadeiro sobre a origem da lei comum e não será questionado. Poderemos, então, nos arriscar a dizer que essa pequena obra provavelmente será instrutiva tanto ao advogado da lei comum quanto ao estudante da Lei Romana. A questão "prática-ética" que ela discute não é uma de uma época ou lugar. É tão urgente na América quanto na Áustria, e necessita de atenção especial nos Estados Unidos no momento atual.

JOHN J. LALOR

PREFÁCIO DO AUTOR À QUINTA EDIÇÃO

Na primavera de 1872, eu dei, diante de uma sociedade de juristas em Viena, uma palestra que publiquei no verão do mesmo ano, com um pouco mais de conteúdo, sob o título: "A luta pelo direito". No seu segundo formato, ele era dirigido não apenas a advogados, mas também ao público leitor em geral. O objetivo que eu tinha em mente ao escrever e publicar o texto foi, desde o princípio, menos teórico e mais prático-ético. Eu estava preocupado, ao prepará-lo, não tanto com a divulgação do estudo científico da lei, mas com a cultivação de um estado mental do qual a lei deve extrair a sua força, isto é, o corajoso e constante exercício do sentimento do direito.

Dois meses após a publicação da primeira edição, a segunda já era necessária; durante o ano seguinte, a terceira e quarta edição também foram publicadas. Ao publicar a última edição, o meu editor sugeriu que eu preparasse uma edição popular, a um custo bem mais baixo, para que pudesse obter a maior circulação possível. Isso só seria possível fazendo um livro muito mais simples e maior. Como até as outras edições já haviam sido maiores que o normal, e como o mercado estrangeiro estava melhor, em virtude das várias traduções já feitas, eu não acreditei que uma quinta edição seria necessária. Porém o fato de que foi necessária uma quinta edição prova para mim que este pequeno livro deve o seu sucesso, na sua primeira aparição, não ao charme de ser uma novidade, mas às convicções de um grande círculo de pessoas, que a opinião fundamental aqui contida está correta; e as várias traduções que foram feitas só me fazem acreditar ainda mais nisso.

As seguintes traduções apareceram em 1874:

1. Uma húngara, de G. Wenzel. Pesth.
2. Uma russa, de uma pessoa anônima, em um periódico legal em Moscou.
3. Uma segunda tradução russa, de Wolkoff, em Moscou.
4. Uma tradução moderna grega, de M. A. Lappas. Atenas.
5. Uma tradução holandesa, de G. A. Van Hamel. Leida.
6. Uma romena, em um jornal publicado em Bucareste.
7. Uma serva, de Christie. Belgrado.

A estes foram somados, no ano de 1875, as seguintes:

8. Uma tradução francesa, de A. F. Meydieu. Viena e Paris.

9. Uma italiana, de Raffaele Mariano.
10. Uma dinamarquesa, de C. G. Graebe. Copenhage.
11. Uma boêmia, anônimamente. Briinn.
12. Uma polonesa, de A. Matakiewiez. Lemberg.
13. Uma croata, de H. Hinkovic. Agram.

Nesta quinta edição, eu mudei um pouco o estilo da obra, e completamente omiti seu antigo início, porque, considerando o meu pequeno espaço, ele dizia respeito a ideias que não eram inteiramente inteligíveis ao leigo e não de muita utilidade para os advogados. Se teria sido melhor, em vista da grande circulação que o meu texto obteve fora da profissão legal, ter omitido todas as partes dirigidas mais aos advogados do que aos leigos, eu não sei dizer. Eu não o fiz, porque as passagens a que me refiro não parecem ter interferido na circulação da obra entre o público em geral, e porque, talvez, um advogado não gostaria de perdê-las aqui.

Na matéria em si, eu não alterei nada. Eu ainda considero a ideia fundamental do trabalho tão certamente verdadeira e irrefutável que eu olho para cada palavra dita contra ela como uma palavra perdida. O homem que não sentir isso quando os seus direitos são negados e pisoteados, não apenas o objeto dos seus direitos, mas a sua própria pessoa, está em risco; o homem que, colocado em tal situação, não se sente impelido a se afirmar e afirmar os seus direitos, não pode ser ajudado, e não tenho interesse algum em convertê-lo. Um homem como esse deve ser considerado apenas como um fato. Egoísmo, sem qualidade qualquer, e o materialismo são os traços que o distinguem. Ele não seria o Sancho Pança da lei se ele não visse um Dom Quixote em todo homem que, na asserção dos seus direitos, corre atrás de qualquer outro interesse que não inteiramente material. Para ele, eu não tenho nada a dizer fora as palavras de Kant, que conheci apenas após a última edição: "Quando um homem se torna uma minhoca, ele não pode reclamar se ele é pisoteado."[18] Em outro local, Kant chama isso de "jogar os seus direitos sob o pé dos outros, e a violação do dever de um homem com ele mesmo". E do "dever em relação à dignidade da nossa humanidade", ele escreveu a máxima: "Não deixe que os seus direitos sejam pisoteados sob os pés de outros sem serem punidos". Essa é a ideia que eu desenvolvi mais nesta obra. Está gravado nos corações de todos os indivíduos e as nações de vigor e encontrou milhares de formas de se expressar. O único mérito que eu posso ter é o de ter desenvolvido mais essa ideia. Uma contribuição interessante para o assunto do meu texto foi dado pelo Dr. A. Schmiedl, no seu *The Struggle for Law in its Relation to Judaism and Early Christianity*.

---

18 Kant, *Metaphysiche Anfangsgründe der Tugendlehre*. Aufl. 2. Kreuznach: 1800 S. 133.

Viena: 1875. O ditado do Professor Judeu: "Se o objeto do seu direito é uma moeda ou cem dólares, deixe que seja igual aos seus olhos" está completamente de acordo com a posição que mantenho.

Agora deixo que o meu texto em si convença o leitor de que a opinião que defendo está correta; e ao fazer isso tenho um pedido duplo para fazer àqueles que se sentem chamados a me refutar. Eu os pediria, primeiro, para não distorcerem as minhas opiniões e me encherem com o desejo de brigar, ou de inculcar um amor ao litígio, quando eu só insisto na batalha pela lei quando o ataque aos direitos de uma pessoa levam a uma diminuição também da pessoa. A disposição que está pronta para ceder ou se reconciliar, o espírito bondoso ou filantrópico, a resolução de disputas, ou até abrir mão dos seus direitos nem sempre são incompatíveis com a minha teoria. O que ela opõe é a simples aceitação do que está errado em virtude da covardia ou preguiça.

A segunda coisa que peço é que a pessoa que seriamente deseja obter uma clara ideia da minha teoria experimente opor à fórmula positiva de procedimento prático que ela desenvolve outra fórmula positiva. Ele então logo descobrirá aonde suas ações o levarão. A pergunta é: O que um homem deve fazer quando os seus direitos são pisoteados? A pessoa que consegue dar uma resposta boa a essa pergunta, isto é, uma resposta compatível com a existência da lei e ordem e com dignidade e personalidade, conseguiu se opor a mim. A pessoa que não conseguir fazer isso deve concordar comigo ou estar satisfeita com a superficialidade, a marca de mentes confusas, que pode vir a desaprovar e negar, mas que não pode obter nenhuma opinião positiva sozinha. Em questões puramente científicas, alguém pode limitar-se a simplesmente refutar o erro, mesmo quando não tem como meta mostrar a verdade positiva; mas em termos práticos, onde é certo que se deve agir, e a pergunta é apenas como se deve agir, não é suficiente rejeitar a direção positiva dado pelo outro como errada, mas deve colocar algo no lugar. Eu esperarei para ver se isso acontecerá no que diz respeito à resposta positiva que dei.

Mais uma palavra sobre uma questão que foi refutada por aqueles com quem eu normalmente concordo. Eu me refiro à injustiça que foi feita com Shylock.

Eu não sustento que o juiz deveria ter reconhecido o título de Shylock como válido; mas que, uma vez reconhecida a sua validade, ele não deveria ter, subsequentemente, invalidado a execução da sentença. O juiz teve a opção de decidir se o título era válido ou inválido. Ele deveria ter declarado que era inválido, mas declarou que era válido. Shakespeare representa o assunto como se a decisão tomada fosse a única possível;

ninguém em Veneza duvidava da validade do título; os amigos de Antonio, o próprio Antonio, a corte, todos concordavam que o título dava ao judeu o direito legal. E, confiando nesse seu direito universalmente reconhecido, Shylock pede ajuda à corte e ao "sábio Daniel", após ter tentado em vão induzir o credor que estava com sede de vingança a renunciar o seu direito. E agora, após o juiz ter decidido, depois de todas as dúvidas sobre o direito legal do judeu terem sido excluídas pelo próprio juiz, nem uma palavra sequer pode ser dita contra ela; após a assembleia inteira, inclusive o Doge, ter se acomodado quanto à inevitabilidade do decreto da lei – agora que o vencedor, inteiramente certo do julgamento, pretende fazer o que o julgamento da corte o autorizou fazer, o mesmo juiz que de forma solene reconheceu os seus direitos ilude-o com uma objeção, uma estratégia tão miserável que não merece nenhuma atenção séria. Há carne quando não há sangue? O juiz que deu a Shylock o direito de cortar uma libra de carne do corpo de Antonio, ao mesmo tempo, deu a ele direito ao sangue de Antonio, sem o qual não é possível tirar a carne. Ambos não são permitidos ao judeu. Ele deve tirar a carne sem o sangue, e tirar apenas uma libra, nada mais nada menos. Estou exagerando quando digo que aqui o judeu está sendo defraudado do seu direito legal? É verdade que é feito em nome da humanidade, mas a injustiça deixa de ser injustiça porque é feita em nome da humanidade?

RUDOLPH VON JHERING
Göttingen, 24 de fevereiro de 1877

CAPÍTULO 1

A origem da Lei

A meta da lei é a paz. A forma de obter isso é a guerra. Enquanto a lei estiver compelida a se manter para resistir aos ataques do mal – e isso ela estará compelida a fazer até o fim dos tempos –, ela não pode dispensar a guerra. A vida da lei é uma batalha, – uma batalha das nações, do poder do estado, das classes e dos indivíduos.

Todas as leis no mundo foram estabelecidas por meio da luta. Todo princípio da lei que existe teve que ser extraído usando a força daqueles que a negaram; e todo direito legal – os direitos legais de toda uma nação como também os dos indivíduos – supõe uma disposição contínua de se afirmar e de se defender. A lei não é mera teoria, mas uma força viva. E é assim que a Justiça por um lado segura a balança, em que ela pesa o direito, e pelo outro segura a espada com que ela a executa. A espada sem a balança seria pura força, a balança sem a espada seria a impotência da lei. A balança e a espada têm que andar juntas, e o estado da lei só é perfeito quando o poder em que a Justiça carrega a espada está igualado pela habilidade com que ela segura a balança.

A lei é um trabalho sem fim, e não apenas do Estado, mas de todo o povo. Toda a vida da lei, vista em um só momento, nos mostra o mesmo espetáculo de uma batalha constante e do trabalho de toda uma nação, que ela consegue por meio das suas atividades da área de produção intelectual e econômica. Cada indivíduo colocado em uma posição em que ele é compelido a defender os seus direitos legais faz parte do trabalho de uma nação e contribui o seu esforço rumo à realização da ideia de termos leis na Terra.

Sem dúvida, esse dever não é incumbido em todos no mesmo grau. Não perturbados por batalhas e sem receber ofensas, a vida de milhares de pessoas passa, dentro dos limites impostos pela lei à ação humana; e, se fossemos dizer a elas que: a lei é uma batalha, eles não nos entenderiam, pois a conhecem apenas como uma condição de paz e de ordem. E do ponto de vista das suas próprias experiências eles estão completamente certos, assim como está o herdeiro rico cujo fruto do trabalho de outros cai no seu colo, sem lhe causar trabalho algum, quando ele questiona o princípio: a propriedade é trabalho. A causa das duas ilusões é que os dois lados da ideia da propriedade e da lei podem ser separados de forma subjetiva de tal forma que o gozar e a paz se tornam parte de um, enquanto o trabalho e a luta se tornam parte do outro. Se fôssemos falar com a outra parte, ele nos daria uma resposta completamente contrária. E é verdade que a propriedade, assim como a lei, é uma cabeça de Janus com duas faces. Para alguns, ela vira apenas de um lado, para outros, apenas do outro; e por isso é diferente a imagem obtida pelas duas partes. Isso, em relação à lei, se aplica a gerações inteiras e também a indivíduos. A vida de uma geração é guerra, da outra é paz; e nações, por causa dessa diferença de divisão subjetiva, estão sujeitas à mesma ilusão precisamente como indivíduos. Um longo período de paz, e, como consequência disso, uma fé na paz eterna, são ricamente gozados, até que a primeira arma destrói o belo sonho, e outra geração substitui a que desfrutou da paz sem ter que trabalhar com ela, outra geração que é obrigada a trabalhar por ela por meio do trabalho árduo da guerra. Assim, em propriedade e lei nós encontramos o trabalho e o gozar distribuídos, mas o fato de que eles deveriam estar juntos não altera as consequências. Uma pessoa é obrigada a lutar e trabalhar por outra que goza e vive em paz. Paz sem luta e o gozar sem o trabalho pertencem ao dias do Paraíso. A história os conhece apenas como resultado de um esforço doloroso e ininterrupto.

Que, batalhar, é, no domínio da lei, o que o trabalho é no domínio da economia, e que, no que diz respeito à sua necessidade prática assim como seu valor moral, essa batalha deve ser colocada no mesmo pé em que colocamos o trabalho no caso da propriedade, é a ideia que eu proponho desenvolver a seguir. Acredito que ao fazer isso eu não estarei desempenhando um trabalho supérfluo, pelo contrário, estarei reparando um pecado de omissão que pode muito bem ser depositado na porta da nossa teoria da lei; e não simplesmente na porta da nossa filosofia da lei, mas da nossa jurisprudência positiva também. A nossa teoria da lei, é muito fácil notar, está muito mais atarefada com a balança do que com a espada da Justiça. O ponto de vista científico vê apenas um lado pelo qual considera a lei, olhando para ela não tanto pelo que ela é, como uma ideia de força, mas como ela é de forma lógica, um sistema abstrato de princípios legais. Ela tem, em minha opinião, implicado toda a sua forma de ver a lei, com uma personalidade que não está de acordo com a realidade difícil. É isso que pretendo provar.

O termo "direito" é, como se sabe, usado em nossa língua de duas formas, – de uma forma objetiva e de uma forma subjetiva. Assim, "direito", no sentido objetivo da palavra, abrange todos os princípios da lei aplicados pelo estado; é a ordem legal da vida. Mas "direito", no sentido subjetivo da palavra, é, por assim dizer, a transformação da regra abstrata ao direito legal concreto da pessoa. Nas duas formas, a lei depara com oposição. Nas duas formas, ela tem que combater essa oposição, isto é, ela tem que lutar ou afirmar a sua existência por meio de uma batalha. Como o real objeto da minha consideração, eu selecionei a segunda forma da palavra, mas não posso deixar de demonstrar que a minha afirmação, que batalhar está na essência da lei, também se aplica à primeira forma da palavra.

Em relação à realização da lei, no que diz respeito à parte do Estado, isso não é contestado, portanto não precisando de mais exposição. A manutenção da lei e da ordem pelo Estado não é nada além de uma batalha contínua contra a anarquia que o ataca, mas é diferente no que diz respeito à origem da lei, não somente em respeito à mais primitiva de todas as leis, no princípio da história, mas também no rejuvenescimento da lei que acontece debaixo de nosso olhos diariamente, o extermínio da instituições existentes, a substituição dos princípios existentes da lei por novos princípios; em resumo, em relação ao progresso no domínio da lei. Aqui, contrário a minha opinião de que o princípios da jurisprudência estão sujeitos à mesma lei na sua origem e no restante da história, há uma outra teoria, oposta a minha, que ainda é universalmente reconhecida no campo da ciência da lei Romana, e que eu posso brevemente caracterizar pelos seus dois maiores representantes como a teoria de

Savigny e de Puchta sobre a origem da lei. De acordo com essa teoria, a formação dos princípios básicos da jurisprudência se faz de forma tão despercebida e indolor quanto a formação ou crescimento da linguagem. A construção dos princípios da jurisprudência não requer nenhuma luta, nenhuma batalha. Não é nem necessário, de acordo com essa teoria, ir em busca deles, pois os princípios da jurisprudência não são nada além do silencioso trabalho do poder da verdade que, sem esforço violento algum, lentamente, mas certamente, faz o seu caminho; com o poder de convicção a qual as mentes aos poucos vão se abrindo e aos quais eles se expressam com os seus atos. Um novo princípio de jurisprudência vem a existir com tão pouco esforço quanto qualquer lei de gramática. O princípio da velha lei Romana, que o credor pode vender o seu devedor insolvente em terras estrangeiras como escravo, ou que o dono de qualquer coisa pode o tomar algo de qualquer pessoa que esteja em posse dela, formou-se na Roma antiga, de acordo com essa opinião, praticamente da mesma forma em que a regra gramática do *cum* regendo o ablativo.

Essa era a ideia da origem da lei que eu mesmo tinha quando saí da universidade, e sob a influência da qual vivi durante uns bons anos. Essa ideia tem algum fundo de verdade? Deve ser admitido que a lei, assim como a linguagem, tem um desenvolvimento não intencional, inconsciente, ou, para usar a expressão tradicional, um desenvolvimento orgânico de dentro para fora. A esse desenvolvimento, devemos todos aqueles princípios da lei que se acumulam gradualmente de satisfazer os direitos legais dos homens ao lidarem uns com os outros, e também aquelas abstrações, consequências e regras que se deduz da ciência das leis existentes, e apresentadas por ela à consciência. Porém o poder desses dois fatores, o intercâmbio entre homens e a ciência, é limitado. Ele pode regular o movimento do fluxo, dentro de determinados limites, e até desacelerá-lo, mas não é grande o suficiente para derrubar os diques que não deixam que o fluxo tome nova direção. Só a legislação pode fazer isso. Isto é, a ação do poder do Estado intencionalmente dirigida a esse fim, e assim não é mero acaso, mas uma necessidade, enraizada na natureza da lei, de que todas as reformas do modo de proceder e da lei positiva podem ser rastreadas até a legislação. É verdade que, a influência de uma mudança feita pelo poder legislativo na lei existente pode ficar limitada inteiramente à esfera do abstrato, sem afetar as relações concretas que foram estabelecidas baseadas na lei já existente, a reposição de um parafuso velho por um novo. Mas muitas vezes, o que acontece é que as coisas estão em tal condição que a mudança só pode vir a acontecer se ela alterar severamente os direitos existentes e os interesses provados. Ao longo do tempo, os interesses de milhares de indivíduos, e de toda uma classe, se entrelaçaram com os princípios existentes da lei de tal forma que estes não podem ser removidos sem causar muitas feridas. Questionar o princípio da lei ou da instituição significa declarar guerra a todos esses interesses, arrancar um parasita que resiste com mil braços. Por isso, cada tentativa dessas, em obediência natural à lei da autopreservação, causa a mais violenta oposição dos interesses feridos, e com isso uma batalha na qual, como qualquer batalha, a questão é decidida não com base no peso da razão, mas com a força relativa das forças em oposição; o resultado muitas vezes é igual ao do paralelograma das forças – um desvio da linha original para a diagonal. Só assim fica inteligível que as instituições sobre as quais a opinião pública há muito decretou a morte continuam a existir por muito tempo. Não é a *vis inertiae* que preserva a sua vida, mas o poder da resistência dos interesses que estão no centro da sua existência.

Porém, em todos esses casos, quando a lei existente é respaldada por interesses, o novo tem que passar por uma luta para conseguir vir ao mundo – uma batalha que muitas vezes dura mais que um século, chegando ao auge da sua intensidade quando os interesses em questão assumem a forma de direitos adquiridos. Aqui, encontramos dois partidos que se opõem, cada um levando com si a santidade da lei – a da lei histórica, a da lei do passado, e o outro da lei que está sempre vindo a ser, sempre se renovando, a eterna e primordial lei da humanidade. Esse conflito é trágico para aqueles que colocaram todas as suas forças e os seus próprios seres nas suas convicções e que finalmente sucumbem ao julgamento supremo da história. Todas as grandes conquistas que a história da lei registrou – a abolição da escravidão, da servidão pessoal, a liberdade da propriedade predial, da indústria, da consciência etc. – tiveram que ser conquistadas, em primeira instância, dessa forma, por meio das batalhas mais violentas, que muitas vezes duraram séculos. Frequentemente, rios de sangue, e por todos os lados direitos pisoteados, marcam o caminho pela qual a lei passou durante tal conflito. Pois a lei é Saturno devorando os seus próprios filhos. A lei pode renovar a sua juventude, mas somente quebrando com o seu passado. Um direito legal concreto ou um princípio da lei, que simplesmente veio a existir, pretendendo uma existência ilimitada e portanto eterna, é uma criança levantando a mão à sua própria mãe; ela insulta a ideia da lei quando busca essa ideia, pois a ideia da lei é uma eterna Criação, mas aquele que foi Criado deve se curvar diante de uma nova Criação, já que

— Alles was entsteht,
Ist werth dass es zu Grunde geht.[19]

E assim o desenvolvimento histórico da lei nos apresenta com um retrato de pesquisa, batalha, luta, que não fica aquém de um penoso esforço. A mente humana trabalhando de forma inconsciente para a formação da linguagem não encontra nenhuma força contrária, e a arte não tem nenhum oponente a combater fora o seu próprio passado – o gosto prevalente. Não é assim com a lei. Jogada na reviravolta caótica dos objetivos, buscas e interesses humanos, ela tem que sempre sentir e procurar para encontrar o caminho certo, e após encontrá-lo, remover os obstáculos que impedirão o seu caminho. Se é incontestável que esse desenvolvimento, como o da arte ou o da linguagem, é governado pela lei e é uniforme, não pode ser negado que ela difere desta última na forma em que ela ocorre, e nesse sentido, portanto, estamos compelidos a rejeitar de uma vez o paralelo instituído por Savigny – um paralelo que encontrou o apoio universal tão rapidamente –, de um lado a lei e do outro a linguagem e a arte. Essa doutrina é falsa, mas não é perigosa como uma opinião filosófica. Como uma

19 "Tudo o que nasce está destinado a voltar ao nada", GOETHE, Fausto.

máxima política, porém, ela contém um erro cheio das maiores consequências imagináveis, pois dá ao homem esperança em vez de fazê-lo agir, é agir com uma consciência completa e clara sobre a meta que ele deseja alcançar. Ela dá ao homem a esperança de que tudo acontecerá de forma única, que o melhor que ele pode fazer é cruzar os seus braços e esperar com confiança que lentamente tudo acontecerá vindo da fonte primordial da lei chamada: a convicção natural do direito legal. Por isso, a aversão de Savigny e de todos os seus discípulos à interferência da legislação, e assim à falta de atenção completa dada ao verdadeiro significado do costume, na teoria de Puchta da lei do costume. O costume para Putcha é simplesmente um modo de reconhecer a convicção do que é legalmente correto, mas essa convicção em si é primeiro formada com base nas suas próprias ações, por meio dessa ação ele primeiro demonstra o seu poder e o seu chamado para governar a vida. Resumindo o princípio: a lei é uma ideia que envolve força – para isso, os olhos dessa grande mente estavam completamente fechados. Porém, com isso, Puchta estava apenas vivendo conforme sua geração, pois a sua época era a de romantismo na poesia, e aquele que permite transferir a ideia do Romantismo para a jurisprudência, que se dará o trabalho de comparar as direções correspondentes nas duas esferas, talvez não discorde comigo quando eu digo que a escola histórica poderia ter sido chamada de Escola Romântica. Aquela lei e os princípios do direito legal que vêm a existir ou são formados de forma indolor, sem trabalho, sem ação, como uma criação vegetal, são uma noção realmente romântica, isso é, uma noção baseada em uma idealização falsa de condições passadas. A realidade de Stern nos ensina o contrário, ou seja, não importa qual pequena parte da realidade temos diante dos nossos olhos, e qual se apresenta para nós, com as mais difíceis situações das nações em relação à formação das relações legais delas – questões graves que vêm uma em cima da outra – mas a impressão é sempre a mesma, independente de qual parte do passado contemplamos. A teoria de Savigny pode, portanto, dizer respeito a nada além da época pré-histórica da qual não temos nenhuma informação. Porém, se nos é permitido fazer uma hipótese em relação a ela, estou disposto a me opor a Savigny, que a representa como uma época de evolução pacífica e suave dos princípios da lei da consciência interna da convicção popular, a minha própria hipótese, completamente oposta à dele; e há de se concordar, que tem a seu favor, a analogia do que podemos ver como o desenvolvimento histórico da lei, e como eu acredito, a vantagem da maior probabilidade psicológica. Os tempos primitivos! Já foi moda se vestir com todas as espécies de belas qualidades: a verdade, a franqueza, a fidelidade, a simplicidade, a fé religiosa; e em tal terreno, os princípios da lei tinham que certamente florescer sem qualquer outra ajuda, que não a força da convicção jurídica: eles não precisariam da espada, nem mesmo do outro braço. Porém, hoje todos nós sabemos que essa época piedosa era conhecida por todas as qualidades opostas a estas, e a suposição de que eles conseguiam estabelecer os princípios da lei de forma mais fácil do que em gerações seguintes não pode ser sustentada agora. Da minha parte, estou convencido de que o trabalho necessário para essa tarefa foi ainda mais árduo, e que até o princípio de lei mais simples, como aqueles já mencionados da lei Romana mais antiga, como da autoridade de um dono de tomar de volta algo que é seu e está em posse de outro, e do credor vender o seu servo estrangeiro, tem de ser batalhado por meio da batalha mais dura, antes de obterem o reconhecimento inquestionável. Seja como for, podemos deixar a época mais primitiva fora da nossa consideração. A informação que temos da história mais remota sobre a origem da lei é suficiente, mas nos leva a dizer que o nascimento da lei, assim como o do homem, foi sempre acompanhado das dores violentas do parto.

E por que devemos reclamar sobre isso? O simples fato de a lei não vir a ser fácil, de que tiveram de batalhar por ela, lutar e sangrar por ela, cria entre as nações e as suas leis o mesmo vínculo íntimo que é criado entre a mãe e o seu filho, quando, no seu nascimento, ela coloca a sua vida em risco. Um princípio da lei conquistado sem trabalho é igual a uma criança trazida pela cegonha: o que a cegonha trouxe pode ser levado pela raposa ou pelo urubu, e da mesma forma um povo jamais se deixará ser roubado das leis ou das instituições que eles conseguiram obter com o próprio sangue. Não mero costume, mas o sacrifício é o que cria o vínculo mais forte entre um povo e os seus princípios do direito, e Deus não os dá como um dom para as nações que Ele quer bem, nem torna o trabalho necessário para consegui-los fácil, mas difícil. Nesse sentido, eu não hesito em dizer: a batalha necessária às leis para virem a existir não é uma maldição, mas uma bênção.

CAPÍTULO II

A vida da Lei, uma batalha

Eu agora trato do real assunto do meu texto – a batalha pelo direito concreto. Essa batalha é provocada pela violação ou usurpação do direito legal. Como nenhum direito legal, seja o direito de um indivíduo, seja o de uma nação, está isento desse perigo, segue que essa batalha pode ser repetida em qualquer esfera da lei – tanto nos vales do direito privado, como também nas alturas do direito público e internacional. Guerra, rebelião, revolução, a lei do cartel, a lei feudal da época medieval, e o último vestígio dela nos nossos tempos, o duelo; e, por último, a autodefesa e o processo civil são todos – apesar da diferença no objeto que buscam e o que eles procuram, e da forma e dimensão da batalha – formas e cenas do mesmo drama, a batalha por direitos, a batalha pelos princípios da lei? Se agora, de todas essas formas, eu escolho a menos violenta, a batalha legal pelos direitos do indivíduo na forma de um processo, não é porque ela é de maior interesse para juristas do que qualquer outra forma, mas porque, em uma corte, a verdadeira natureza do caso é mais possível de ser ignorada por juristas e também leigos. Em todos os outros casos, a verdadeira natureza do objeto é evidente. Até a mente mais simples compreende que em todas as outras instâncias há uma questão de riqueza ou bens que valem o sacrifício, e que ninguém perguntará nesses casos: "Por que lutar em vez de ceder?". A magnífica visão da maior demonstração de força humana e sacrifício nos leva e eleva de forma irresistível ao julgamento ideal, mas, na batalha pelo direito privado individual, como mencionado, as coisas são bem diferentes. Os interesses relativamente pequenos com que estamos tratando – uniformemente a questão do meu e teu, o prosaísmo chato e inevitável ligado a essa questão – torna essa batalha, ao que parece, um simples cálculo frio e sóbrio, e as formas em que ela se move (a rotina mecânica do litígio, com a exclusão de toda a ação livre, individual e do próprio autor) são mal calculadas para enfraquecer a impressão desfavorável. Porém, mesmo no caso do processo civil, houve uma época quando as partes interessadas eram chamadas para a batalha, e quando o verdadeiro sentido da luta se tornava visível. Enquanto a espada ainda decidia a controvérsia entre o meu e o teu, quando o cavaleiro medieval desafiava o seu oponente, até alguém que não estava envolvido poderia ser forçado a ver que, na batalha, havia a questão não apenas do valor do objeto em questão, mas também de defender os seus direitos e sua honra.

Contudo não é preciso evocar essas condições que já se passaram há muito tempo e desapareceram para descobrir dela o significado daquilo que, mesmo em outra forma, é em sua essência igual nos dias de hoje. Uma rápida olhada ao fenômeno das nossas próprias vidas e auto-observação psicológica fará o mesmo para nós.

Quando o direito legal de uma pessoa é violado, ela é colocada frente a frente com a pergunta, se ele afirmará o seu direito, resistirá o seu oponente – isto é, entrará em uma batalhar ou, para evitar isso, deixará o seu direito de lado. A decisão é exclusivamente dele. Seja qual for a sua resposta à pergunta, algum sacrifício acompanha os dois casos. Em um caso, a lei é sacrificada no nome da paz, no outro, a paz é sacrificada em nome da lei. Portanto, a pergunta parece se formular da seguinte maneira: "Qual sacrifício, de acordo com as circunstâncias individuais do caso e da pessoa, é mais suportável?". O homem rico, no interesse da paz, sacrificará ao valor da controvérsia, o que para ele é insignificante; e o pobre, para quem o mesmo valor é comparativamente grande, sacrificará a sua paz. A questão da luta pelo direito se resumiria então a um simples problema de aritmética, em que a vantagem e a desvantagem são pesadas uma contra a outra, por ambos os lados, e assim se chega a uma decisão.

Porém, todos nós sabemos que não é bem assim. Experiências diárias nos mostram casos em que o valor do objeto em controvérsia está fora de toda proporção do gasto em termos de trabalho, excitação e dinheiro. Ninguém que perdeu um dólar em um riacho dará dois dólares para tê-lo de volta. Para ele, sim, a questão de quanto gastará para recuperá-lo é um simples problema matemático. Mas por que ele não passa pelo mesmo processo de cálculo quando ele contempla um processo? E não diga que ele calcula pensando que ganhará e que o custo do processo cairá sobre o seu oponente. Todo advogado sabe que muitas vezes a certeza de ter que pagar caro pela vitória não impede muitas pessoas de entrar com uma ação. Quantas vezes o advogado, após explicar ao cliente a fragilidade da sua ação e de tentar dissuadi-lo de processar, ouve como resposta: "Entre com a ação, custe o que custar!".

Como explicar essa forma de agir, que, do ponto de vista de estimativas racionais de interesses materiais, simplesmente não faz sentido?

A resposta normalmente dada a essa pergunta é bem conhecida. Ela é a mania miserável do litígio, o puro gosto de brigar, o desejo irresistível de infligir dor no seu oponente, mesmo quando se sabe que o custo a ser pago será maior do que custo do seu oponente.

Deixemos por um momento de considerar que a controvérsia seja entre duas pessoas e coloquemos no seu lugar duas nações. Vamos supor que um país tomou, contrário à lei, uma milha quadrada de terra seca, sem valor. O outro país entrará em guerra? Vamos examinar a questão do mesmo ponto de vista da teoria da mania por litígio, no caso em que um camponês tomou alguns pés da terra do seu vizinho ou jogou algumas pedras no campo do vizinho. O que significa uma milha quadrada de terra infértil comparada a uma guerra que custará a vida de milhares de pessoas, trará tristeza e miséria ao palácio e às choupanas, usará milhares e milhares do tesouro público e possivelmente ameaçará a sua existência? Que loucura fazer tal sacrifício por causa disso!

Tal seria o nosso julgamento se o camponês e a nação fossem medidos da mesma forma. Porém, ninguém gostaria de dar à nação o mesmo conselho que ao camponês. Todos sentimos que uma nação que assistir a tal violação da lei em silêncio estará assinando a sua própria sentença de morte. Se uma nação deixar que tomem uma milha quadrara da sua terra, sem punição, o resto também será levado, até que nada reste para chamar de seu, e ela deixará de existir como um Estado, não merecendo destino melhor.

Mas se uma nação deve usar suas armas por causa de uma milha quadrada de território, sem questionar o seu valor, por que um camponês também não deve agir assim para defender o que é seu? Ou devemos respondê-lo com a máxima: *quod licet Jovi, non licet bovi*[20]. A nação não luta pela milha quadrada de território em si, mas por ela mesma, por sua honra e independência, é assim naqueles processos em que a desproporção mencionada acima existe entre o valor do objeto sendo disputado e o custo e outros sacrifícios. A questão não é o objeto insignificante da disputa, mas de um fim ideal: a afirmação da pessoa e do seu sentimento de direito. Em respeito a esse fim, a pessoa cujos direitos foram invadidos não pesa mais todos os sacrifícios e inconveniências que o processo traz – aos seus olhos, o fim é a compensação para o meio. Não é o simples interesse no dinheiro que move a pessoa cujos direitos foram infringidos a instituir um processo legal, mas a dor moral pelo mal que foi feito. Ele não está preocupado apenas em recuperar o objeto, ele pode, talvez, como muitas vezes acontece, para provar a real razão do seu processo, tê-lo doado a uma instituição de caridade – mas forçando o reconhecimento dos seus direitos. Uma voz interior lhe fala para não recuar, que não é o objeto sem valor que está em jogo, mas o seu próprio caráter, o seu sentimento de direito legal, o seu autorrespeito – ou seja, o processo deixa de lhe parecer uma mera questão de interesse e se torna uma questão de caráter.

---

20 N.T. - O que é permitido a um não é permitido a outro.

Entretanto a experiência nos ensina que mesmo assim muitos outros na mesma situação chegam à decisão oposta – eles preferem a paz sobre um direito legal afirmado ao custo de problemas e ansiedade. Que julgamento devemos fazer sobre isso? Devemos dizer apenas: "Isso é uma questão de gosto e temperamento individual". Um ama mais a briga, o outro ama mais a paz. Do ponto de vista da lei, ambas as conclusões devem ser respeitadas, pois a lei deixa a cada um que tem um direito legal a escolha de afirmar esse direito ou de abandoná-lo. Eu considero essa opinião, que encontramos com frequência na vida, como repreensível até o mais alto grau, e em conflito com a essência da lei. Se fosse possível que essa opinião se tornasse uma opinião geral, a própria lei em si se destruiria, já que a lei, para existir, demanda que aja sempre uma resistência humana ao errado – aqueles que pregam essa opinião dizem que a lei deve se afugentar como um covarde diante do que é errado. A essa opinião eu me oponho com o princípio: resistência à injustiça, a resistência ao errado em frente ao domínio à lei, é o dever de todos que têm direitos legais com eles mesmos – é um mandamento da autopreservação moral, pois essa resistência deve, para que a lei se afirme, ser universal. Assim, eu estabeleço o princípio sob qual elaboro o restante do meu texto.

CAPÍTULO III

A luta pelos seus direitos, um dever da pessoa cujos direitos foram violados para com ela mesma

A batalha pelo seu direito é um dever da pessoa cujos direitos foram violados para com ela mesma.

A preservação da existência é a mais alta lei de toda a criação viva. Ela se manifesta em toda a criatura em instinto à preservação. Agora, o homem não está preocupado apenas com a sua vida física, mas com sua existência moral. Porém, a condição para essa existência moral é correta na lei. Nela, o homem possui e defende a condição moral da sua existência – sem a lei ele se afunda ao nível animal,[21] assim como os Romanos, de forma muito lógica, do ponto de vista da lei abstrata, colocavam os escravos no mesmo nível dos animais. A afirmação dos direitos legais de uma pessoa é, portanto, um dever de autopreservação moral – a completa entrega desses direitos, agora impossíveis, mas que já foram possíveis, é o suicídio moral. Porém, a lei só agrega as diversas partes

21 No romance *Michel Kohlhass*, de Heinricj Von Kleist, ao qual vou me referir mais à frente, o autor faz o seu herói dizer: "Antes ser um cão do que um homem se devo ser pisoteado".

separadas, cada uma que contém uma condição moral de existência específica: a propriedade, assim como o casamento, o contrato, assim como a honra. A renúncia de uma delas é, portanto, legalmente tão impossível quanto a renúncia de toda a lei, mas certamente é possível que uma pessoa deve atacar uma dessas condições, e é o dever da pessoa atacada repelir o ataque, pois não é suficiente colocar essas condições de existência sob a proteção da lei, representada por meros princípios abstratos, elas devem ser afirmadas de forma concreta pelo indivíduo e o incentivo para essa afirmação é fornecido quando alguém de forma arbitrária ousa atacá-lo.

Contudo, nem toda a injustiça é arbitrária, isso é uma revolta contra a ideia da lei. Alguém que possui algo que é meu, mas que pensa que é dele não vai contra a minha pessoa negando a ideia da propriedade, ao contrário, ele apela a essa ideia em interesse próprio. A pergunta que está entre nós é: "Qual de nós dois é o dono?". Mas o ladrão e o bandido se colocam fora do domínio legal da propriedade. Na minha propriedade, eles negam a ideia da propriedade e, ao mesmo tempo, uma condição essencial da existência da minha pessoa. Supõe-se que a forma de eles agirem se torne corriqueira e se torne acima da lei, a ideia da propriedade será negada em teoria e também na prática. Assim, o ato deles é um ataque não somente às minhas coisas, mas ao mesmo tempo à minha pessoa; e se for o meu dever defender a minha pessoa, também é meu dever aqui. E nada, além do conflito desse dever com o maior dever da preservação da minha vida, como acontece quando o ladrão coloca diante de mim a alternativa do meu dinheiro ou minha vida, pode justificar o abandono da minha propriedade. Mas, deixando esse caso fora de consideração, é o meu dever me opor a este desrespeito com a lei de todos os meios possíveis à minha pessoa. Ao tolerar esse desrespeito com a lei, eu concordo em apoiar a injustiça durante um momento da minha vida, mas para fazer isso, ninguém deve lhe dar uma mão.

Em frente ao possuidor de boa-fé de algo que é meu, a minha posição é bem diferente. Aqui, a pergunta é: "O que devo fazer?". Não é uma questão do meu sentimento de direito legal, do meu caráter, da minha personalidade, mas uma pura questão de interesse, pois eu não tenho nada aqui a perder fora o valor do objeto em questão, e aqui, portanto, estou completamente perdoado em pesar os ganhos e as perdas, e a possibilidade de dúvida, uma contra a outra, e de chegar a uma decisão de acordo com isso: processar, abster de processar ou de transigir.[22] Transigir ou conciliar é o ponto em que se encontram as probabilidades do cálculo, feito por ambos os lados, e, com a premissa que aqui suponho, é a melhor forma de acabar com a controvérsia. Porém, se um acordo é muitas vezes difícil de conseguir, se, como frequentemente acontece, ambos os lados desde o início rejeitam todas as negociações que levam a um acordo, a razão não é simplesmente que os cálculos das probabilidades das duas partes divergem demais para se encontrar, mas que cada parte da controvérsia supõe que o outro está conscientemente errado, movido por uma má intenção. Assim, a questão assume, mesmo quando debatida do ponto de vista de um processo, a forma de uma injustiça objetiva (*reivindicatio*), psicologicamente, para a parte, o mesmo formato do caso anterior – a forma de uma violação consciente do seu direito e a tenacidade com que o indivíduo defende os seus direitos é baseada precisamente nas mesmas razões, e é tão moralmente justificável quanto quando ele os defendeu do

22 A passagem acima deveria ter me protegido da censura de que eu pregava a batalha pelos direitos legais sem questionar os motivos e as circunstâncias, e que eu considerava o abandono de um direito questionável como completamente injustificável. Somente quando a pessoa é pisoteada nos seus direitos é que eu declaro a defesa do direito como a defesa da própria pessoa, e assim uma questão de honra e de dever social. Quando essa diferença, sob a qual eu coloquei tanto estresse, é ignorada, e a opinião absurda atribuída a mim de que a briga e a contenção tem algo de lindo nelas, e que o litígio é uma virtude, eu não consigo encontrar nenhuma explicação ao fato, fora assumir uma má intenção de estabelecer uma opinião que não é popular para poder então refutá-la, ou uma negligência na leitura que esquece ao final do texto o que foi lido no início.

ladrão. Esperar, em um caso desses, que a parte deixe de defender os seus direitos em um processo, em virtude dos custos e das outras consequências da mesma natureza – a incerteza da questão, por exemplo –, é um erro psicológico, pois para tal pessoa não é uma questão de interesse, mas o seu sentimento de justiça ou de direito. A única esperança que podemos ter aqui é de fazer com que a suposição de má intenção, que fez com que a parte agisse, desapareça. Se isso acontece, a resistência é combatida e a parte poderá ser induzida a examinar a questão em termos dos interesses, e assim uma conciliação ou um acordo poderá se tornar possível. O jurista prático conhece bem a resistência obstinada que se opõe a todas essas tentativas, e eu acredito que ninguém discordará comigo quando afirmo que essa falta de acessibilidade das mentes, essa desconfiança tenaz, não é algo puramente individual, determinada pelo caráter da pessoa, mas que ela é estabelecida pelas diferenças causadas pela educação e profissão da pessoa. Essa desconfiança é mais invencível no caso do camponês. O litígio do qual ele é acusado não é nada senão o resultado de dois fatores especialmente peculiares a ele – um forte sentimento de propriedade, para não dizer avareza, e desconfiança. Ninguém entende melhor os seus interesses e segura tão firmemente o que é seu do que o camponês, mas ninguém sacrifica a sua fortuna tão prontamente a um processo. Aparentemente uma contradição, é na realidade, inteiramente explicável. É precisamente o seu amplo sentimento de propriedade que faz com que uma lesão à sua propriedade seja sentida de uma forma ainda mais forte, e a reação, portanto, é ainda mais violenta. O litígio do camponês não é nada além da aberração do sentimento de propriedade, produzido pela desconfiança, uma aberração que, como o fenômeno análogo do amor, o ciúme, acaba se voltando contra si mesmo, destruindo o que procura salvar.

A antiga lei Romana confirma de forma interessante o que acabo de dizer. A desconfiança do camponês, que, em cada conflito da lei, supõe que o seu oponente é mal-intencionado, encontra expressão nessa lei na forma de princípios legais. Por toda parte, mesmo quando há um conflito na lei em que duas partes agem de boa fé, a parte derrotada tem de pagar uma penalidade por sua resistência. A simples restauração dos direitos a uma pessoa não satisfaz a sentimento de direito pisoteado. A parte derrotada, fosse ela inocente, fosse culpada, tinha que pagar por ter se oposto à lei.[23] Se os nossos camponeses hoje pudessem fazer as leis, eu imagino que elas seriam muito parecidas com as dos seus antigos antecessores Romanos. Porém, até em Roma essa desconfiança na lei foi a princípio superada pela civilização, median-

23 Retornarei a isso mais tarde.

te a distinção de dois tipos de injustiça, o culpado e o inocente, ou o subjetivo e o objetivo (na linguagem de Hegel, a injustiça ingênua).

A distinção entre uma injustiça objetiva e subjetiva é, do ponto de vista legal e científico, muito importante. Ela expressa a forma como a lei vê o assunto e justifica as consequências que a violação da lei acarreta, mas ela não decide de forma alguma como o indivíduo verá esse assunto; como o seu sentimento de direito legal será excitado por uma injustiça sofrida, um sentimento que não pulsa de acordo com as noções abstratas do sistema. As circunstâncias do caso podem ser tal que a pessoa cujos direitos foram violados pode ter todas as razões para, em um conflito sobre direitos que, de acordo com a lei, caem sob o julgo de uma violação objetiva da lei, proceder com a suposição de má intenção, ou injustiça consciente por parte do oponente; e seu julgamento certamente definirá como ele agirá com o seu oponente. O fato de a lei me dar o mesmo *condictio ex mutuo* contra o herdeiro do meu devedor que não sabe nada sobre a dívida, fazer o pagamento dela dependente das provas e contra o próprio devedor, que nega descaradamente o empréstimo, não pode fazer com que eu deixe de olhar para o modo de agir de cada um de uma forma diferente e de modificar as minhas ações de acordo com isso. O devedor para mim está no mesmo nível do ladrão. Ele conscientemente tenta me privar do que é meu. O herdeiro do devedor, por outro lado, é como o possuidor de boa fé de algo que é meu. Ele não nega o princípio de que o devedor deve pagar, mas somente a afirmação de que ele é um devedor, e tudo que eu disse acima sobre o possuidor de boa-fé se aplica a ele. Com ele, posso entrar em um acordo ou conciliar. Posso, nesse caso, desistir completamente do processo, mas, como contra o devedor, eu devo seguir no meu direito, custe o que custar. Não fazer isso seria admitir que o devedor está certo – não, mais, seria abandonar o direito.

Suponho que poderá ser questionado: o povo sabe que o direito da propriedade e do contrato são condições morais para a existência da pessoa? *Saber*? Podem não saber nada sobre isso, mas se eles o sentem é outra coisa; e eu espero conseguir mostrar que esse é o caso. O que as pessoas sabem sobre os rins, os pulmões, o fígado como condições da sua vida? Porém, todos nós sentimos uma fisgada nos pulmões, ou uma dor nos rins ou no fígado, e compreendemos o aviso que ela traz. A dor física é o sinal de um distúrbio no organismo, da presença de uma influência inimiga. Ela abre os nossos olhos para um perigo eminente, e nos compele, por meio da dor que causa, a nos opor a ela. O mesmo é verdadeiro da dor moral que nos é causada pela injustiça proposital. Variando de intensidade, assim como a dor física, de acordo com a diferença da sensibilidade subjetiva, da forma e do objeto da injustiça (do qual eu falarei mais adiante), ela se manifesta em todos aqueles que não se tornaram insensíveis a ela, ou seja, em todos aqueles que não se acostumaram com a falta da lei, e assim com a dor moral são chamados a lutar contra aquele que a produz – nem tanto para acabar com o sentimento de medo, mas para preservar a saúde, que é ameaçada pela falta de ação ao senti-la. É um lembrete do dever da autopreservação moral, assim com a dor física é em respeito à autopreservação física.

Vamos olhar um caso que levanta menos dúvidas, o ataque à honra de alguém, e na profissão em que ela é muito sensível – na profissão militar. Um oficial que pacientemente suportou um insulto contra a sua honra não pode mais ser um oficial. Por quê? Defender a própria honra é o dever de todos os homens. Por que então o militar dá mais importância a isso do que qualquer outro homem? Porque ele tem, com razão, o sentimento de que a defesa corajosa do seu caráter, para ele, mais do que para qualquer pessoa de outra classe, é uma condição indispensável da sua ordem, que, por sua natureza, ele deve ser a incorporação pessoal da coragem, e que não pode permitir a covardia dos seus membros sem se autossacrificar. Vamos agora comparar o oficial com o camponês, que defende a sua propriedade com a maior tenacidade, mas que detém uma surpreendente indiferença com a sua honra. Por quê? Porque ele também tem o sentimento correto sobre a sua peculiar condição de vida. Ele não é chamado para provar a sua coragem, mas para trabalhar. A sua propriedade é a única forma visível do que o seu trabalho do passado o herdou. O camponês preguiçoso, que não cuida da terra ou que gasta a sua pequena fortuna, é tão desprezado pelos outros camponeses quanto o oficial que dá pouco valor à sua honra, pelos seus colegas. Porém, um camponês nunca reprovará outro porque ele não entrou em um duelo, ou processou alguém para vingar um insulto, nem um oficial reprovará outro porque ele não cuidou bem de suas terras. O pedaço de terra que ele cultiva e o gado que ele cria são para o camponês a base da sua existência: e o processo que ele institui contra o seu vizinho que roubou alguns pés de terra, ou de um comprador que se recusa a pagar pelo boi comprado, é simplesmente a sua forma de fazer o que o oficial faz com sua espada – de lutar pelos seus direitos. Os dois se sacrificam sem reservas. Eles deixam as consequências das suas ações completamente fora da equação. E assim deve ser, pois, ao fazer isso, eles estão simplesmente obedecendo a lei peculiar da sua autopreservação. Coloque-os como jurados – submeta a um jurado de oficiais um caso de delito contra a propriedade e a um jurado de camponeses uma questão de honra – e você verá como o veredictos serão diferentes! Todos sabem que não há juízes mais severos em casos de delitos de propriedades do que os camponeses. E, apesar de não poder falar aqui com experiência no assunto, eu não tenho dúvidas de que se um camponês fosse mover uma ação por injúrias, por exemplo, seria muito mais fácil induzi-lo a conciliar do que se a sua ação fosse por delito à propriedade. O camponês da Roma antiga concordava em receber 25 ases por um tapa na cara; e quando alguém lhe arrancava um olho ele estava disposto a conversar sobre o ocorrido e conciliar em vez arrancar o olho do seu oponente, conforme era autorizado a fazer, mas ele demandava que a lei o desse o poder de manter um ladrão pego em flagrante como escravo, e no caso de resistência de matá-lo, a lei assim permitia. No primeiro caso, apenas a sua honra, e o seu corpo estavam em jogo; no segundo caso, a sua propriedade.

Como uma terceira ilustração, vamos examinar o caso do comerciante. O seu crédito é para ele o que a honra é para o oficial, e o que a propriedade é para o camponês. Manter o seu crédito é, para ele, uma questão vital, e aquele que o acusa de negligência em manter as suas obrigações atinge-o com um golpe mais severo do que se atacasse a sua pessoa ou o roubasse. É por causa dessa situação específica do comerciante que a leis recentes tendem a restringir cada vez mais o crime de negligência e falência fraudulenta.

Com o que acabo de dizer não pretendo apenas mostrar que a irritabilidade do sentimento de direito legal varia de acordo com a classe e a profissão, mas que o sentimento mede o caráter do ferimento causado por causa dos interesses que a profissão, como profissão, não deve suportar. Provar esse fato serve apenas para colocar às vistas a verdade de algo muito maior, que cada homem que tem um direito legal defende as condições morais da sua existência quando ele defende esse direito.

O fato de o sentimento do direito legal se mostrar irritável nas três classes mencionadas, nos pontos em que reconhecemos as condições de existência dessas classes específicas, mostra que a reação ao sentimento do direito legal não é determinada como a maioria dos sentimentos, somente pelo temperamento e a personalidade do indivíduo, e sim da mesma forma, por uma causa social, o sentimento do caráter indispensável de qualquer instituição jurídica determinada pelo fim específico dessa classe específica. A quantidade de energia com que se reage a uma lesão ao direito legal é, em meus olhos, uma forma certa de medir a importância que indivíduos, uma classe ou um povo realmente dão à lei em geral e a uma parte específica dela. Eu acredito que esse princípio é universal, verdadeiro tanto no caso da lei privada quanto da lei pública. A mesma irritabilidade que profissões diferentes manifestam em respeito a uma violação de todas essas provisões legais que, de uma forma especial, constituem a base da sua existência também encontramos no caso dos estados, em no que diz respeito àquelas instituições em que o simples princípio das suas vidas parece realizado. A medida da irritabilidade dele, e do valor que eles atribuem a essas instituições, é encontrada no direito criminal. A diferença surpreendente que está presente no direito criminal (Strafrecht – justiça penal), no que diz respeito a severidade e fraqueza das penas, explica-se, em grande parte, pelo princípio mencionado acima das condições de existência. Cada Estado pune mais severamente aqueles crimes que mais ameaçam a sua própria condição de existência, enquanto ele permite que uma moderação exista em relação a outros crimes que, muitas vezes, apresentam um grande contraste em termos da severidade em comparação com os outros. A teocracia faz da blasfêmia e da idolatria um crime capital, enquanto ela vê uma violação de fronteiras como um delito pequeno. (Direito Mosaico.) O Estado agrícola, por outro lado, vê uma violação de fronteira como algo muito sério, com punição severa, enquanto permite que o blasfemador receba uma punição leve. (Direito Romano antigo.) O Estado comercial pune severamente a falsificação da moeda, o Estado militar, a falta de subordinação e a quebra de dever militar, o Estado absoluto, a traição nacional, a república, às pretensões à realeza; e todos manifestam uma severidade nesses pontos, o que contrasta muito com a forma como punem outros crimes. Resumindo, a reação do sentimento de direito legal, de Estados e de indivíduos, é mais violenta quando eles se sentem ameaçados em condições de existência peculiares a eles.[24]

Assim como as condições específicas de uma classe ou profissão dão a certas partes da lei mais importância, e assim aumentam a sensibilidade do sentimento de direito legal em respeito a sua violação, essas mesmas condições podem produzir um enfraquecimento desse sentimento. A classe dos serviçais não pode manter e desenvolver o sentimento de honra entre eles como fazem outras classes da sociedade. A posição deles traz consigo algumas humilhações, contra as quais um único serviçal luta em vão, enquanto a classe em si as suporta. Um indivíduo com um grande sentimento de honra, em tal situação, não tem alternativa senão desistir dessa profissão. Somente quando tal sentimento se tornar generalizado haverá alguma perspectiva para o indivíduo, em vez de gastar a sua energia em uma batalha, não em união com aqueles que pensam como ele, subir o nível

---

24 Aqueles que conhecem o assunto sabem que aqui apenas relato ideias, o mérito das quais eu reconheço e são do grande Montesquieu, *Esprit des Lois*.

de honra da sua profissão; e aqui me refiro não simplesmente ao sentimento subjetivo da honra, mas seu reconhecimento objetivo por outras pessoas da sociedade e pela legislação. A história do desenvolvimento social dos últimos cinquenta anos mostra grande progresso nessa direção. O que acabo de dizer pode ter se aplicado faz meio século à maioria das classes. O ressaltado sentimento de honra que pode ser encontrado nelas é somente o resultado e a expressão da posição legal que elas conseguiram estabelecer.

O que disse acima sobre a honra também é verdadeiro para a propriedade. A sensibilidade do sentimento de direito legal em relação à propriedade, o verdadeiro sentimento de propriedade – o que me refiro aqui não é o instinto da aquisição, a busca por dinheiro e riqueza, mas o sentimento viril do proprietário, que já demonstrei pelo exemplo do camponês, do proprietário que defende o que é seu, não porque é um objeto de valor, mas porque pertence a ele – , também pode ser enfraquecida sob a má influência de causas e circunstâncias. Ouvimos muitos perguntarem: "O que aquilo que me pertence tem a ver com a minha pessoa, comigo?". A minha propriedade me serve para me prover algo, como aquisição, para gozar, mas como não há nenhum dever moral sob a minha pessoa para juntar muito dinheiro, não pode haver um dever para ir à justiça por causa de um desentendimento sobre ela, se para isso tenha que gastar tempo e dinheiro e ainda sacrificar o meu descanso. A única motivação que me leva a ir à justiça para afirmar o meu direito à minha propriedade é a motivação que me leva a adquiri-la, e que determina a disposição que farei dela – o meu interesse. Se vou à justiça para afirmar o meu direito à propriedade, ou não, é simplesmente uma questão de interesse.

Da minha parte, em tal opinião, eu só consigo ver uma degeneração do verdadeiro sentido da propriedade, a razão pela qual me parece ser a deslocação das suas bases naturais. Eu não culpo a riqueza e o luxo por essa degeneração – em nenhuma delas eu vejo qualquer perigo ao sentimento do direito legal das pessoas –, mas a imoralidade do lucro. A fonte histórica e a justificativa ética da propriedade é o trabalho – o trabalho não apenas da mão ou do braço, mas da mente e do talento; e eu reconheço o direito não apenas do trabalhador do produto do seu trabalho, mas também do seu herdeiro. Eu vejo no direito à herança uma consequência necessária ao princípio do trabalho, pois mantenho que o trabalhador não deve ser impedido de gozar da sua propriedade e de deixá-la para outro, seja durante a sua vida, seja após sua morte. Somente por meio de um relacionamento duradouro com o trabalho é que a propriedade pode ser mantida saudável e vivaz. Somente nessa fonte é que podemos ver de forma clara e transparente até o seu fundo o que é para o homem. Quanto mais a corrente se distancia dessa sua fonte, e se deixa levar pelos caminhos de ganho fácil e que não necessita de trabalho, mais turvas as suas águas se tornam, até que, na sujeira da especulação e no jogo fraudulento das bolsas, ela perde qualquer traço do que ela era em sua origem. Nesse momento, qualquer vestígio da ideia moral da propriedade já não existe mais, e não pode mais haver dúvidas sobre o dever moral de defendê-lo. Aqui não se pode haver qualquer entendimento do significado de propriedade como ela existe no peito do homem que tem que ganhar o seu pão com o suor do seu rosto. O pior de tudo isso é que as opiniões e os hábitos gerados por tais causas infelizmente se estendem lentamente a círculos em que não teriam aparecido espontaneamente sem o contato contagioso.[25] A influência dos milhões de ganhos por meio das bolsas chega até ao barraco do homem pobre, e a mesma pessoa que em outro ambiente teria provado pela sua própria experiência as bênçãos do trabalho sente que esse mesmo trabalho, sob a pressão enervante de tal lugar, é uma maldição, e somente uma maldição. O Comunismo é popular apenas naqueles locais

---

25 Uma prova interessante disso nos é dada pelas pequenas cidades universitárias alemãs, apoiadas em grande parte pelos estudantes. A forma como eles pensam e agem em relação ao gasto de dinheiro é involuntariamente comunicada à população.

em que a verdadeira ideia da propriedade foi perdida. Podemos verificar no país, em um sentido diretamente oposto, este fato: a forma em que a classe no poder vê a propriedade não está confinada a essa classe, mas é comunicada às outras classes da sociedade. Aquele que vive permanentemente no campo, que não se mantém distante dos camponeses, involuntariamente, e mesmo quando não incentivado para tal pelas suas circunstâncias ou seu caráter, absorverá um pouco da frugalidade do camponês e o seu sentimento de propriedade. O mesmo homem comum, sob as mesmas circunstâncias, será econômico com o camponês no campo, e um gastador com um milionário em uma cidade como Viena.

Porém, seja qual for a causa dessa fraqueza de caráter, cujo amor pelo fácil induz a fugir da batalha pelo direito legal, tudo o que temos de fazer aqui é reconhecê-la e descrevê-la como ela é. Qual a filosofia prática da vida que não prega nada além da política do covarde? O covarde que foge da luta salva aquilo que os outros sacrificam – a sua vida; mas ele a salva à custa da sua honra. O único fato que protege o covarde e a comunidade das consequências do seu modo de agir são as outras pessoas que lutam pelo direito. Se pensassem como ele, estariam todos perdidos. E o mesmo é verdadeiro do abandono covarde dos direitos legais. Inocente como o ato de um único indivíduo, se viesse a se tornar o princípio geral de ação, seria a destruição de todas as leis. E, mesmo sob essas circunstâncias, a aparente falta de perigo em tal modo de agir só é possível porque a batalha pela lei contra o mal não é, em grande parte, afetada por ela. Pois, realmente, não são os indivíduos somente que são chamados para participar dessa luta, mas, em Estados organizados, o poder público também está bastante envolvido, já que ela processa e pune todas as infrações graves contra a vida, liberdade ou propriedade dos indivíduos. Um direito legal de acordo com a definição que eu mesmo dei[26] não é nada senão um interesse protegido por lei, mas na presença da arbitrariedade que levanta a sua mão contra a lei, essa consideração material perde todo o seu valor, pois o golpe que ela direciona ao meu direito legal fere também a minha pessoa quando ela fere a lei.

O objeto do direito é indiferente. Se mero acaso me colocasse em posse de um objeto, talvez pudesse ser levado de mim sem ferir a minha pessoa, mas não é o acaso, e sim a minha vontade, que estabelece a relação entre minha pessoa e o objeto. Ao tornar o objeto meu, eu coloquei nele a minha marca: quem atacá-lo, me ataca, o golpe lançado me fere, pois eu estou presente nele. A propriedade é a periferia da minha pessoa ligada às coisas.

26 *Geist des röm. R.* III, pág. 60.

Essa conexão da lei com a pessoa investe todos os direitos, independente da sua natureza, com aquele valor imensurável, oposto ao seu valor puramente natural, que eu chamo *valor ideal*. Dele, nasce aquela devoção e energia na asserção do direito legal que eu descrevi acima. A concepção ideal da lei não é uma característica de personalidades privilegiadas por natureza, mas é acessível tanto ao mais simples quanto ao mais culto, ao mais rico quanto ao mais pobre, às nações selvagens quanto às civilizadas; e, aqui, descobrimos de forma clara quão enraizado na natureza mais profunda da lei esse idealismo está – é nada fora o sentimento saudável do direito legal. A lei que, por um lado, parece relegar o homem exclusivamente à região baixa do egotismo e interesse o eleva, por outro lado, a uma altura ideal, em que ele esquece toda a política, todo cálculo, aquela medida de interesse que ele aprendeu a aplicar por toda parte, para sacrificá-lo pura e simplesmente à defesa de uma ideia. A lei que outrora era prosa, na luta pela lei, poesia, pois a batalha pela lei, a luta pelos seus direitos legais, é a poesia do caráter.

O que faz esse milagre aparecer? Não é sabedoria, ou educação, mas simplesmente dor. Dor é o grito de ajuda de algo que está em perigo. Isso é verdadeiro, como eu já mencionei do organismo moral e do físico; e o que a patologia do organismo físico é para o médico, a patologia do sentimento de direito legal é para o jurista e o filósofo na esfera da lei; ou, melhor, é o que deveria ser para eles, pois seria errado dizer que é assim para eles. Nele, para ser sincero, está todo o segredo da lei. A dor que uma pessoa sente quando os seus direitos legais são violados é a admissão espontânea e instintiva, tirada dele com o uso da força, do que a lei é para ele como indivíduo, em primeiro lugar, e então o que é para a sociedade. Nesse único momento, e na forma de uma emoção, de sentimento direto, vemos mais do verdadeiro significado e da natureza da lei do que durante longos anos de paz ininterrupta. O homem que não sentiu essa dor, ou a viu em outros, não sabe nada sobre o que é a lei, mesmo que ele saiba todo o *corpus juris* de cor. Não é o intelecto, mas o sentimento que é capaz de responder a essa pergunta, e assim a linguagem tem corretamente designada a fonte psicológica de toda a lei como o sentimento de direito legal (*Rechtsgefühl*). A consciência de direito legal (*Rechtsbewusstsein*), convicção legal, são abstrações científicas com as quais as pessoas não estão familiarizadas. O poder da lei está no sentimento, assim como o poder do amor e o intelecto não podem fornecer esse sentimento. Porém, como o amor muitas vezes não se conhece, e como um único instante é suficiente para trazê-lo à tona, assim o sentimento de direito legal não conhece o que ele é, e o que pode fazer, até que seja ferido. Mas a violação do direito legal o faz se manifestar, revela a verdade e demonstra a sua força. O seu direito legal, a lei, é a condição moral de existência da pessoa, e a afirmação desse direito é a sua autopreservação moral.

A intensidade com a qual o sentimento de direito legal reage, quando ferido, é o teste da sua saúde. O nível de dor que ela sente diz a ele qual o valor que ele atribui ao que está sendo ameaçado. Porém, sentir a dor sem levar a sério o seu aviso para defender o que está sendo ameaçado, suportá-la pacientemente sem se defender, é negar o sentimento de direito legal, desculpável, talvez, sob certas circunstâncias, em um caso específico, mas impossível a longo prazo sem as consequências mais desastrosas ao próprio sentimento de direito legal, pois a essência desse sentimento é a ação. Quando ela não reage, ela padece, até que finalmente se torna insensível à dor. Irritabilidade, isto é, a capacidade de sentir dor à violação dos seus direitos legais, e ação, isto é, a coragem e determinação para lutar contra o ataque, são, aos meus olhos, os dois critérios para ter um sentimento saudável de direito legal.

Eu devo me conter de elaborar mais sobre esse assunto interessante e instrutivo da patologia do sentimento de direito legal, mas pediria permissão para fazer alguns comentários aqui.

A sensibilidade do sentimento de direito legal não é o mesmo para todas as pessoas, mas ela aumenta ou diminui de acordo com, e à medida que, cada classe de indivíduos ou povo experimenta a lei como uma condição moral de existência – não apenas a lei em geral, mas em várias partes. Isso eu já demonstrei acima, em relação à propriedade e reputação. Como um terceiro exemplo, posso adicionar aqui o casamento. O que não podemos concluir são as diversas formas que indivíduos, nações e códigos legais veem o adultério!

O segundo elemento do sentimento de direito legal, a ação, é uma mera questão de caráter: a atitude que um indivíduo ou uma ação assume perante uma tentativa contra os seus direitos é a forma mais certeira de testar o seu caráter. Se por caráter entendemos personalidade, cheia, autodependente e autoafirmativa, não há oportunidade melhor para testar essa qualidade do que quando a arbitrariedade ataca os seus direitos e, com os seus direitos, a sua pessoa. A forma que o sentimento de direito ferido reage, sob a influência de paixão em uma ação violenta e selvagem, ou com uma resistência persistente e calma, não pode ser usada como medida da intensidade da força do sentimento de direito legal; e não pode haver erro maior do que atribuir ao homem inculto e selvagem, para quem a primeira forma de agir é mais natural, um sentimento maior de direito legal, do que ao homem educado que escolhe agir da segunda forma. A forma de agir tem como base mais a educação e o temperamento, pois uma resistência firme, tenaz e resoluta não é de forma alguma inferior à reação violenta e apaixonada. Seria deplorável se assim o fosse. Desse modo, indivíduos e nações perderiam o sentimento de direito legal à medida em que avançassem em suas culturas. Um olhar sob a história e o dia a dia atual é o suficiente para mostrar que este não é o caso. A resposta também não pode ser encontrada no contraste entre os ricos e os pobres. Mesmo sendo diferente a forma que o homem rico e o homem pobre medem o valor das coisas, não é o caso quando há uma violação de direito legal; pois aqui a questão não é de valor material, mas o valor ideal do direito legal, o sentimento do direito legal em relação à propriedade; e portanto não é a quantidade de propriedade, mas a força do sentimento de direito legal que decide a questão. A melhor prova disso é dada pelo povo inglês. A riqueza deles não afetou, de forma alguma, o sentimento que têm de direito legal; e com relação à energia que ela ainda possui, mesmo em questões puramente de propriedade, nós, no Continente, deparamos com provas frequentes que, na figura típica do viajante inglês que resiste a um logro como se se tratasse de defender o direito da Velha Inglaterra – que, caso seja necessário, adia a sua partida, fica mais dias no mesmo local e gasta dez vezes mais do que a quantia que se recusa a pagar. O povo ri e não o compreende. Seria melhor se o compreendesse, pois, nas pequenas moedas que ele defende, a Velha Inglaterra vive. Em casa, em seu país, todos o entendem, e ninguém ousa prejudicá-lo assim. Coloque no lugar do inglês um austríaco, com a mesma posição social – como ele agiria? Segundo a minha experiência, nenhum em dez austríacos seguiria o exemplo do inglês. Outros, temendo os dissabores da controvérsia, e a possibilidade de serem mal interpretados, uma má interpretação que o inglês não precisa temer na Inglaterra, acabam pagando. Porém, nas poucas moedas que o inglês se recusa a pagar e que o austríaco paga, há mais por trás do que se imagina: lá escondidos estão séculos de desenvolvimento político e social.

CAPÍTULO IV

A afirmação dos direitos do indivíduo, um dever à sociedade

Até então eu tenho procurado estabelecer o primeiro dos princípios anteriormente mencionados, que a batalha pela lei é o dever da pessoa que tem direitos com ela mesma. Agora, me concentro no segundo princípio, que a afirmação dos direitos do indivíduo é um dever dele para com a sociedade.

Para estabelecer esse princípio, é necessário que eu examine mais de perto a relação da lei entre o sentido objetivo e o sentido subjetivo. No que consiste essa relação? Digo e acredito que ela consiste no seguinte: que a primeira forma a condição da segunda. Um direito legal concreto só existe nas condições pelas quais o princípio abstrato de lei consolida esse direito. Isso, de acordo com a teoria dominante, é tudo o que podemos dizer, mas essa visão é uma visão unilateral. Ela coloca pressão exclusiva na dependência da lei concreta no abstrato, mas ignora o fato de que há, da mesma forma, uma relação de dependência parecida na direção contrária. A lei concreta não apenas ganha vida e força da lei abstrata, mas dá também, em retorno, a vida que ela recebeu. É na natureza da lei se realizar na prática. Um princípio da lei nunca aplicado na prática, ou que perdeu a sua força, não merece mais esse nome; é uma mola velha no maquinário da lei, que não desempenha o seu papel e que pode ser removida sem modificar em nada a ação. Isso se aplica sem limitações a todas as partes da lei – tanto às leis das nações como também à lei privada e criminal; e a lei Romana a sancionou reconhecendo-a *desuetudo* como causa da abolição da lei. Este *desuetudo* corresponde à perda do direito legal concreto por não uso (*non-usus*). Porém, enquanto a realização da prática do direito público e criminal está assegurada, pois é imposta como um dever das autoridades públicas, a realização da prática do direito privado é apresentada aos indivíduos sob a forma dos seus direitos legais, isto é, é deixado exclusivamente para eles terem a iniciativa na sua realização. No primeiro caso, sua realização prática depende do desempenho do dever das autoridades e oficiais públicos, e, no último caso, na afirmação de indivíduos dos seus direitos legais. No último caso, se por qualquer razão os indivíduos deixarem de afirmar os seus direitos, permanentemente ou de forma geral, seja por causa da ignorância, seja pelo gosto pelo fácil, seja por medo, a consequência é que os princípios daquele direito perdem o seu vigor. E então podemos dizer: a realidade, a força prática dos princípios da lei privada, é provada pela afirmação do direito legal concreto. Como, por um lado, o último recebe a sua vida por meio das leis, ela, por outro lado, dá vida de volta às leis. A relação entre o direito legal objetivo ou abstrato e o direito legal subjetivo ou concreto é a circulação do sangue, que sai do coração e retorna ao coração.

A existência de todos os princípios de direito público depende da fidelidade das autoridades no desempenho dos seus deveres e dos princípios de direito privado, no poder das motivações que induzem a pessoa cujos direitos foram violados a defendê-los: o seu interesse e o seu sentimento de direito legal. Se essas motivações não são afetadas, se o sentimento de direito legal é fraco, e o interesse não tem poder suficiente para superar a falta de vontade de entrar em controvérsia e indisposição, a consequência é que o princípio da lei em questão nunca é aplicado.

Porém, nos perguntarão, isso importa? Ninguém sofre com isso além da pessoa que teve os direitos invadidos. Eu respondo novamente usando a ilustração que já utilizei, do indivíduo que foge da batalha. Se mil homens estão lutando, a fuga de um homem não faz diferença, mas se cem homens desertam, a posição dos que permanecem se torna muito mais perigosa, o peso inteiro da batalha cai sobre eles. Isso me parece ser uma representação correta da pergunta. No domínio da lei privada, também há uma questão da batalha do direito legal contra a injustiça, de uma batalha comum de toda a nação, em que todos devem permanecer juntos. A deserção, em tal caso, é traição contra a causa comum, pois fortalece o inimigo aumentando a sua audácia e coragem. Quando o arbítrio e a audácia ousam levantar as suas cabeças, é sempre um sinal certeiro de que aqueles que são chamados para defender a lei não fizeram o seu dever. Porém, cada um de nós, em seu lugar, é chamado para defender a lei, guardar e colocá-la em prática em sua própria esfera. O direito legal concreto que pertence a ele é somente a sua autorização pelo Estado para entrar com a lei quando os seus interesses necessitam e para repelir a injustiça – um chamado que é feito para ele de forma parcial e limitada, diferente do que é feito às autoridades, que é absoluta e ilimitada. Ao defender os seus direitos legais ele afirma e defende todo o corpo legal, dentro do pequeno espaço que os seus próprios direitos legais ocupam. Por isso, o seu interesse e o seu modo de ação vão muito além da sua própria pessoa. O bem geral que resulta disso não é somente o interesse ideal, que a autoridade e majestade da lei são protegidas, mas esse outro bem muito real e eminente, que todos sentem e compreendem, até mesmo a pessoa que não tem concepção alguma disso – de que a ordem das relações sócias já estabelecida é defendida e afirmada. Quando o mestre não puder mais insistir que o servente faça o seu dever, quando o credor não puder mais obrigar que o seu devedor lhe pague, quando o povo não der importância à correção de medidas e pessoa, pode-se dizer que nada fora a autoridade da lei está em perigo? Quando essas coisas vierem a acontecer, a ordem da vida civil é sacrificada, e não é fácil dizer até onde as consequências desastrosas irão; se, por exemplo, com isso todo o sistema de crédito não for seriamente afetado, pois todo homem fará tudo o que estiver ao seu alcance para não estar ligado a pessoas que o obrigam a lutar e batalhar quando o seu direito legal está claro; e ele transferirá o seu capital para outros lugares e encomendará os seus bens de outras terras.

Sob tais circunstâncias, o futuro dos poucos que têm coragem para lutar pela lei se tornará um verdadeiro martírio. O forte sentimento que eles têm de direito legal, que não deixa com que fujam do campo de batalha, torna-se uma maldição para eles. Deixados por todos que deveriam ter sido os seus aliados naturais, lutam sozinhos contra a falta de lei que tem aumentado em consequência da covardia universal. E, se após todos os seus sacrifícios, eles conseguem permanecer fiéis a si mesmos, eles ganham, em vez de gratidão, zombaria e desprezo. A responsabilidade por essa situação recai não naqueles que infringiram a lei, mas naqueles que não tiveram coragem de afirmá-la. Não acuse a injustiça de tomar o lugar da lei, mas da lei de permitir isso. Se eu fosse chamado para julgar a importância prática dos dois princípios: "Não cometa injustiça" e "Não sofra injustiça", eu diria que a primeira regra seria: não sofra injustiça, e a segunda: não cometa injustiça! Se tomamos o homem como ele realmente é, não há dúvidas de que uma resistência firme e resoluta é muito mais poderosa para evitar que injustiças aconteçam, do que uma simples proibição que, de fato, não tem nenhuma força prática fora o preceito moral.

Após tudo isso, posso ser acusado de estar exagerando quando digo: a defesa dos direitos legais concretos, quando estes são atacados, é um dever dos indivíduos cujos direitos foram invadidos, não apenas para com ele, mas também para com a sociedade? Se o que eu digo é verdade, que ao defender o seu direito legal ele, ao mesmo tempo, defende a lei, e na lei essa ordem pública indispensável, quem pode negar que, ao defendê-las, ele cumpre o seu dever com a comunidade? Se a sociedade pode chamá-lo para lutar contra um inimigo estrangeiro e arriscar a sua vida em uma batalha para defender os interesses do seu país, quando atacado de fora, por que então não esperar que todos os homens corajosos e bem-intencionados se unam para resistir ao inimigo em casa? Se, no primeiro caso, uma fuga covarde é considerada traição, por que também não é assim no segundo caso? A lei e a justiça não podem ser vitoriosas em um país simplesmente porque o juiz está sempre pronto no seu banco e porque os agentes policiais estão sempre alerta. Para que eles sejam vitoriosos, cada membro da sociedade deve cooperar com eles. Todos são chamados, e é o dever de todos esmagarem o arbítrio e a ilegalidade, onde quer que ela apareça. Todo homem que usufrui da bênção da lei deve também fazer a sua parte para manter o poder e o respeito pela lei. Todo homem é um lutador nato pela lei no interesse da sociedade.

Eu não preciso chamar atenção para quão enaltecida a vocação do indivíduo para afirmar os seus direitos legais é quando ela é vista dessa forma. A nossa teoria atual nos fala de uma atitude puramente passiva perante a lei. A doutrina apresentada aqui coloca no seu lugar uma atitude de reciprocidade, em que a pessoa com direitos legais retorna à lei o serviço que ela recebe dela. A nossa doutrina o vê então como um colaborador em um grande trabalho nacional, pouco importando se ele próprio a conceba como tal. O que há de grande e sublime na ordem moral do mundo é que você pode contar com o trabalho daqueles que não o compreendem, mas que tenham a mesma eficácia de fazer com que aqueles não a compreendem trabalhem para eles. Obrigar homens a se casarem traz à tona, no caso de alguns homens, o que há de mais nobre nos instintos humanos – em alguns, o prazer sensual, em outros, ainda, conveniência e em outros, a ambição – mas todas essas motivações levam ao casamento. E, assim, na batalha pela lei, o interesse chama um ao campo de batalha, a dor de ter o seu direito legal violado chama o outro, e a ideia da lei chama o terceiro – todos dão uma mão ao outro no mesmo trabalho, a luta contra o arbítrio.

Agora, não só chegamos ao topo ideal da luta pela lei, subindo da motivação mais baixa de interesse, como nos levantamos ao ponto de vista da autopreservação moral da pessoa e finalmente à cooperação na realização da ideia da lei.

Nos meus direitos, a lei foi violada e negada. Nos meus direitos, ela é defendida, afirmada e restaurada. Que elevada importância tem a batalha do indivíduo pelos seus direitos! E como esse interesse ideal, universal, está acima da esfera do individualismo puro, dos interesses, objetivos e paixões pessoais, que o ignorante vê como o real domínio da lei!

Porém, esse ideal, muito dizem, é tão grande que é visível apenas aos olhos do filósofo da lei; nunca é visto na vida prática, ninguém inicia uma ação por causa da ideia da lei. Para refutar tal afirmação, posso me referir à lei Romana, em que a atualidade dessa opinião ideal é vista de forma mais clara em virtude da existência das ações populares,[27] mas nós estaríamos nos fazendo grande injustiça se fôssemos negar que também possuímos esse sentimento ideal. Todo homem que vê a lei ser violada e se sente indignado tem esse sentimento ideal. Enquanto, de fato, uma motivação egoísta está misturada com a dor sentida quando algo de mal lhe é feito, essa indignação é produzida exclusivamente pelo poder da moralidade sobre o coração humano. É a energia da nossa natureza moral protestando contra a violação da lei; é a mais bela e o maior testemunho que o sentimento de direito legal consegue sustentar; é um fenômeno moral que chama para o estudo do psicólogo e apela à imaginação do poeta. Nenhum outro sentimento, que eu saiba, é capaz tão repentinamente, e de forma tão ra-

27 Para aqueles leitores que não são estudiosos de direito, eu gostaria de comentar que essas ações (*actiones populares*) davam uma oportunidade a todos aqueles que queriam parecer representantes da lei e fazer com que todos a tivessem violado prestassem contas; e não somente onde havia uma questão de interesses públicos, mas em qualquer instante em que o indivíduo cujos direitos tivessem sido violados não fosse capaz de se defender completamente, por exemplo, quando um menor tivesse sido enganado no contrato de uma venda, ou um tutor tivesse sido infiel ao seu pupilo etc. Veja o meu *Geist des ROM. Rechts*, III, p. 107. Essas ações, portanto, incluíam um apelo ao sentimento ideal que defende a lei porque é a lei, e não por causa de qualquer interesse pessoal. Outras ações apelavam à motivação comum da ambição, fazendo com que o acusador esperasse receber a multa imposta ao acusado, e assim é que a mesma mancha ligada a eles, ou melhor, a busca deles pelo ganho, que entre nós é ligada a informantes. Quando digo ainda que as ações do segundo grupo mencionado desapareceram mais tarde na lei Romana, e que os anteriores também desapareceram, o leitor chegará à conclusão correta de que as condições que eles tinham desapareceram.

dical, transformar um homem, pois é um fato demonstrado de que tem o poder de despertar nas naturezas mais tranquilas e conciliadoras um nível de paixão que não é conhecido por eles, um fato que prova terem sido feridos na parte mais nobre dos seus seres e tocados nas suas fibras mais sensíveis. É o fenômeno da tempestade no mundo moral: sublime, magistral na sua rapidez e no poder com que ela vai para frente, no poder da força moral, que como uma tempestade ou os elementos em uma fúria arrasta tudo o que encontra pela frente, e então tudo fica calmo, produzindo, assim, uma purificação da atmosfera moral sentida tanto pelo indivíduo quanto por todos. Porém, se há poder ilimitado do indivíduo de gastar em vão contra instituições que dão proteção à ilegalidade que elas recusam a endireitar, fica claro que a tempestade vai se recolher e então uma de duas coisas acontecerão: ou o seu sentimento de direito legal ferido fará com que ele se torne um daqueles criminais dos quais eu falarei mais a seguir, ou ele se tornará, sendo um homem que não consegue resistir à injustiça, aquele que lentamente perde a sua vida moral e toda a sua fé na lei.

Admito que esse sentimento ideal de direito legal, possuído pela pessoa que ao ter o seu sentimento legal ferido o sente mais do que se fosse um ataque pessoal, e que desinteressadamente se sacrifica em nome do direito oprimido, é o privilégio daqueles com um dom especial. Porém, até mesmo aquele de sentimento de direito legal frio, e que não tem idealismo, que se afeta somente com o mal-feito a ele mesmo, compreende a relação entre o direito legal concreto e a lei, que eu tenho demonstrado e que resumo assim: meu direito legal é a lei; quando o meu direito legal é violado, a lei é violada; quando ela é afirmada, a lei é afirmada. Parece um paradoxo, porém é verdadeiro que, precisamente entre os juristas, essa opinião está longe de ser a mais comum. De acordo com a opinião da maioria, a lei em si não é envolvida; a batalha não afeta a lei abstrata, mas a sua incorporação na forma de direito legal concreto, uma fotografia, por assim se dizer, daquela lei, em que ele se tornou fixa mas em que ela não é por si só afetada. Eu não pretendo questionar a necessidade técnica dessa opinião, mas ela não deve nos deixar de afirmar a correção da opinião contrária, que coloca a lei no mesmo nível do direito legal concreto e vê na ameaça a um a ameaça ao outro. Para todos aqueles sem preconceitos, esta última opinião é muito mais exata do que a primeira. A melhor prova do que alego aqui é a expressão que os alemães usam, e que era usada no latim. Em um litígio, o litigante invoca a lei (*das Gesetz anrufen*); os Romanos chamavam a ação de *legis actio*. A própria lei é examinada; é a lei em si que está em discussão em um caso específico – uma opinião da maior importância para o entendimento do antigo processo Romano, *legis actio*. Por isso que a batalha pelo direito legal do indivíduo é, ao mesmo tempo, uma batalha pela lei. Há em jogo não apenas um interesse pessoal, de uma relação única em que a lei foi incorporada, de uma fotografia, como eu disse anteriormente, mas há a questão da lei em si que foi maltratada, pisoteada, e que deve ser defendida, para que a lei em si não se torne motivo de chacota e uma palavra sem significado. Quando o direito legal do indivíduo é sacrificado, a lei também é sacrificada.

Essa opinião, que eu posso chamar de a solidariedade da lei com o direito legal concreto, é, como tenho demonstrado, a verdadeira expressão das suas relações na sua natureza mais íntima. Não é, porém, tão obscuro que o mero egoísta, incapaz de entender uma ideia mais complexa, não possa compreendê-la. Pelo contrário, pode ser uma das ideias que ele entende com mais rapidez, pois o seu interesse é de se associar com o estado na batalha. E assim até ele é, sem o saber e o querer, elevado acima dele mesmo e do seu direito legal àquele ideal em que ele se torna representante da lei. A verdade sempre é a verdade, mesmo quando o indivíduo a defende apenas do ponto de vista do seu interesse pessoal. São o ódio e a vingança que levam Shylock diante da corte para cortar uma libra de carne do corpo de Antonio, mas as palavras que o poeta coloca em sua boca são tão verdadeiras quanto qualquer outra. É a linguagem que o sentimento de direito legal ferido falará, em todos os momentos e em todos os lugares; o poder, a firmeza da convicção, que a lei deve permanecer sendo a lei, o sentimento de um homem que está ciente de que o que ele pede não é somente para si, mas para a lei. "A libra de carne", Shakespeare o faz dizer: –

> "A libra de carne que eu exijo é minha,
> comprei-a muito cara, pertence-me, hei de tê-la.
> Se ma recusais, anátema sobre a vossa lei!
> Os decretos de Veneza doravante serão letra morta.
> .... Invoco a lei;
> .... A meu favor está meu título."

"Invoco a lei." Nessas três palavras, o poeta descreve a relação da lei no subjetivo, a lei no sentido objetivo do termo e o significado da batalha pelo lei, de uma forma melhor do que qualquer filósofo poderia ter feito. Essas três palavras mudam o pedido de Shylock para uma questão da lei de Veneza. O homem fraco se torna um gigante ao falar tais palavras! Não é mais um judeu requerendo a sua libra de carne, é a lei de Veneza em si batendo à porta da Justiça, pois os seus direitos e a lei de Veneza são a mesma coisa – os dois ficam em pé ou caem junto. E quando ele finalmente tomba sob o peso da sentença, que acaba com os seus direitos[28], quando o vemos sair quebrado, seguindo o seu caminho, quem pode deixar de sentir que nele a lei de Veneza foi humilhada? Que não é o judeu, Shylock, que move com dor, mas a figura típica do judeu na Idade Média, que tem fé na lei – podemos dizer como se fosse um cristão –, uma fé na lei que não muda por nada, até uma a catástrofe vem como um raio, e acaba com a ilusão e o ensina que ele é apenas o desprezado judeu medieval a quem a justiça é feita o defraudando.

A imagem de Shylock traz outra imagem à minha mente, a de Michel Kohlhass, que Heinrich Von Kleist descreveu no seu romance com esse nome. Shylock sai de cena completamente quebrado, sem força quando

---

28 O interesse trágico que temos por Shylock, acredito estar baseado precisamente no fato de que não é feita a justiça, pois esta é a conclusão a que o advogado deve chegar. O poeta está, é claro, livre para formar o seu próprio sistema de jurisprudência, e não temos por que ficar contra o que Shakespeare faz aqui. "Mas quando o jurista submete esta questão a um exame crítico, ele só pode dizer que o título em si era nulo visto que era imoral. O juiz deveria, então ter recusado de o aceitar desde o início. Mas como ele não o fez, como o'sábio Daniel'" admitiu a sua validade, foi um miserável subterfúgio, negar ao homem o direito que ele já tinha lhe concedido, de cortar uma libra de carne do homem vivo, e o direito de derramar sangue que o acompanhava. Da mesma forma um juiz poderá negar à alguém cujo direito a uma servidão de trânsito ele concedeu, o direito a deixar vestígios de pegadas na terra, porque isso não havia sido estipulado especificamente no título. Podemos quase acreditar que a tragédia de Shylock ocorreu nos primeiros dias de Roma, pois o autor das Doze Tábuas mantinha que era necessário estabelecer expressamente a propósito da dissecação do devedor *(in partes secare)* por parte do credor, que o tamanho do pedaço deveria ser decidido por ele mesmo. *(Si plus minusve secuerint, sine fraude esto!)*

se curva sem resistência à decisão do juiz. Michel Kohlhass não faz assim. Após todas as tentativas possíveis para conseguir os seus direitos, que foram violados de forma brutal; após a própria justiça e todos os seus representantes, até o mais alto, terem ficado do lado da injustiça, um sentimento de dor infinita o inunda e ele grita: "Antes ser um cão, do que um homem, se assim me menosprezam", completando: "O homem que me recusa a proteção das leis coloca-me entre os selvagens da floresta e me dá na mão a clava que servirá para me proteger". Ele arranca a espada manchada da mão da Justiça venal e a brande de maneira que espalha a consternação pela nação, fazendo com que o Estado sinta o seu efeito até as suas fundações e o príncipe trema no seu trono. Não é, porém, o sentimento selvagem de vingança que o anima – ele não se torna um assassino, como Karl Moor, que queria "fazer com que o grito de revolta soasse por toda a natureza, para conduzir à luta contra a raça de hienas, ar, terra e mar", cujo sentimento ferido de justiça o faz declarar guerra contra toda a humanidade, mas é uma ideia moral que o leva para frente, a ideia de que "é o seu dever para o mundo inteiro consagrar a sua força para obter prazer e guardar os seus colegas cidadãos contra injustiças parecidas". Por essa ideia, sacrifica tudo, a felicidade da sua família, a honra do seu nome, todas as suas posses, o seu sangue e a sua vida, mas ele não continua em uma guerra de extermínio, pois a direciona somente ao culpado, e contra todos aqueles que se juntam ao culpado. Por último, quando a esperança de conseguir justiça paira sobre ele, voluntariamente abaixa as suas armas; mas, como se este houvesse sido escolhido para demonstrar por meio do seu exemplo a que nível de ignorância podia chegar na falta de respeito à lei, violam o salvo-conduto que lhe haviam dado e ele acaba a sua vida no lugar de execução. Porém, antes de tirarem a sua vida, recupera o seu direito e a ideia de que não lutou em vão, que restaurou o respeito pela lei e preservou a sua dignidade como homem, fazendo-o sorrir aos horrores da morte, e conciliado com si mesmo, com o mundo e com Deus, ele segue de forma resoluta o carrasco. Que reflexos esse drama legal sugere! Aqui está um homem honesto e bom, cheio de amor pela sua família, com uma disposição simples, religiosa, que se torna um Átila e destrói com o fogo e a espada as cidades em que o seu inimigo se refugiou. E de onde vem essa transformação? Da própria qualidade que o torna moralmente superior por muito tempo dos inimigos, fazendo com que a opressão legal da qual ele era vítima fosse impossível.

Ao trazer a tona essa sombra, tentei demonstrar por meio de um forte exemplo quão longe o homem, cujo sentimento de direito legal é o mais forte, é capaz de ir quando a imperfeição das instituições legais recusam a satisfação. Aqui a batalha pela lei se torna uma batalha contra a lei. O sentimento de direito legal, deixado abandonado pelo poder que deveria protegê-lo, acaba ele mesmo abandonando a lei e seguindo sozinho. E não são apenas alguns poucos homens de caráter forte e violento, com um sentimento de direito legal nacional, que protestam sob tais condições, mas populações inteiras, que, em certas manifestações, de acordo com o objetivo ou a forma em que todo o povo ou uma classe específica vê a situação, podem ser considerados substitutos populares e acessórios para as instituições do Estado. Assim, consideramos as cortes secretas de justiça criminal na Idade Média e a lei feudal, que demonstram a impotência ou parcialidade das cortes criminais da época ou da fraqueza do poder público. No presente, consideramos assim o duelo, que é uma prova palpável de que as penalidades impostas pelo Estado quando a honra é atacada não são suficientes para satisfazer o delicado sentimento de honra de algumas classes da sociedade. Aqui, também cabem a vingança dos corços e o chamado Lynch-law nos Estados Unidos. Todos esses exemplos mostram claramente que as instituições legais do país não estão em harmonia com os sentimentos do povo ou de uma classe. Elas sempre implicam uma reprovação ao Estado, e levantam contra elas a censura de torná-las necessárias ou censurá-las. Quando a lei as proibiu, sem, porém, as abolir, elas podem, para o indivíduo, se tornar uma fonte de um conflito muito sério. O corso que obedece a lei em vez de utilizar da vingança, é mal visto pelos seus colegas; se ele segue o que o sentimento nacional parece demandar dele, morre aos braços do vingador da justiça. E assim é com o duelo. Aquele que o declina quando a sua honra dita que deveria aceitá-lo está desgraçado; se ele o aceita, ele é punido – uma situação tão dolorosa para a pessoa quanto para o juiz. Em vão, procuramos por fatos como esses no início da história de Roma, pois a instituições naquela época estavam em perfeita harmonia com o sentimento nacional de direito legal.

CAPÍTULO V

A importância da luta pela lei para a vida nacional

Cheguei, agora, ao final das minhas reflexões sobre a batalha do indivíduo pelos seus direitos legais. Nós já o seguimos por todas as suas motivações, desde a, mais baixa, de fazer meros cálculos, ao ideal, de afirmar a sua personalidade e as suas condições morais de existência, até que chegamos à realização da ideia de justiça – o ponto mais alto, em que um passo em falso leva o homem cujo sentimento de direito violado passa a ser um criminal ao abismo da ilegalidade.

Porém, o interesse dessa batalha não está confinado, de modo algum, à vida privada ou ao direito privado. Aliás, se estende muito além disso. Uma nação é, afinal, apenas a soma de todos os indivíduos que a compõem, e a nação pensa, sente e age como os indivíduos que a compõem. Se o sentimento de direito legal dos indivíduos da nação é covarde, apático, se ele não encontra espaço para se desenvolver de forma livre e vigorosa, por causa dos empecilhos que leis injustas e instituições ruins colocam em seu caminho, se ela depara com perseguição onde deveria ter encontrado apoio e encorajamento, se, como consequência disso, ela se acostuma com a injustiça e a olhar para ela como algo que não pode ser ajudado, quem acreditará que um sentimento de direito legal apático e paralisado poderá ser despertado a uma reação enérgica quando há uma violação de direitos, não do indivíduo, mas de todo o povo, um ataque na sua liberdade política, a quebra ou violação da Constituição, ou um ataque de um inimigo estrangeiro? Como é que a pessoa desacostumada a defender o seu próprio direito sentirá o impulso voluntário de arriscar vida e propriedade pela comunidade? Como é que esse homem, que não faz nada quando a sua pessoa ou honra é machucada, que abandona os seus direitos porque ele gosta da vida fácil, acostumado, em matérias legais, a utilizar a medida de interesse material, vai repentinamente se sentir violado quando o que está em jogo é o direito e a honra da nação? O batalhador da lei constitucional e da lei das nações é o mesmo que batalha pela lei privada; as mesmas qualidades que o fazem lutar pelos seus direitos como indivíduos o acompanham na sua batalha pela liberdade política e contra o inimigo estrangeiro. O que se planta na lei privada é colhido na lei pública e na lei das nações. Nos vales da lei privada, nas relações mais simples da vida, devem ser coletadas, pedaço por pedaço, as forças, o capital moral, de que o Estado precisa para operar em grande escala e atingir os seus objetivos. A lei privada, não a lei pública, é a verdadeira escola da educação política do povo, e se soubéssemos como um povo, em caso de necessidade, defenderia os seus direitos políticos e o seu lugar entre as nações, examinaríamos como os membros separados da nação afirmam os seus próprios direitos na vida privada. Já citei o inglês sempre pronto para a luta; e eu só posso repetir o que disse acima: na moeda pela qual ele batalhou, vive o desenvolvimento político inglês. Ninguém ousa arrancar algo de um povo que, pelo menor motivo, bravamente afirma os seus direitos, o que eles têm de mais valioso, e é assim, portanto, que não é mero acaso que o povo da antiguidade que mais conseguiu desenvolvimento político internamente, e demonstrava o maior poder externamente, os romanos, tinha ao mesmo tempo o sistema de leis privadas mais desenvolvido. A lei é sinônimo de idealismo – por mais paradoxo que isso possa parecer –, o idealismo de caráter: isto é, do homem que se vê como o seu próprio fim, e vê tudo com menos importância quando a sua pessoa é atacada. O que importa para ele quando os seus direitos são atacados – se foi um indivíduo, o seu próprio governo, ou uma nação estrangeira? Não é o agressor que determina com que resistência ele lutará contra o ataque, mas a energia do seu sentimento de direito legal, a força moral com que ele se afirmará. Por isso, o princípio permanece: a posição política de um povo, em casa e internacionalmente, sempre está alinhada com a sua força moral; a China com o seu bambu, chibatas para os seus jovens adultos, e as suas centenas de milhões de habitantes, nunca ocupará, aos olhos das nações estrangeiras, a posição respeitada da pequena Suíça. A disposição natural dos suíços nas artes e poesia está longe do ideal. Ela é sobre e prática, como os Romanos. Porém, no sentido em que eu tenho usado até agora a expressão "ideal", em sua relação à lei, ela é tão aplicável ao suíço quanto ao inglês.

Esse idealismo do sentimento saudável de direito legal seria prejudicado na sua própria fundação se ela se confinasse apenas a defender os seus próprios direitos, sem participar na manutenção das leis e da ordem. Ele sabe que, ao defender os seus direitos legais, não só defende a lei, mas também, ao defender a lei, defende os seus direitos legais. Em uma comunidade em que esse sentimento, esse sentido em que a lei prevalece, nós vemos ao redor a triste visão tão comum em outros lugares – a massa do povo, quando as autoridades condenam o criminoso ou violador das leis, ou buscam prendê-lo, tomar o seu partido, vendo no poder público o inimigo natural das pessoas. Todos sabem que a causa da lei é a sua própria causa. Somente o criminoso aqui simpatiza com o criminoso. O homem honesto não o faz. Melhor, ele dá uma mão à polícia e às autoridades.

Será praticamente desnecessário expressar em palavras a inferência a que devemos chegar com o que foi dito. Está resumido no princípio, pois ao Estado que deseja ser respeitado pelo mundo afora, e ser firme internamente, não há nada mais precioso para cuidar e guardar do que o sentimento nacional de direito legal. Cuidar dele é um dos deveres mais importantes da pedagogia política. No sentimento saudável e vigoroso do direito legal do indivíduo, o Estado possui a fonte mais rica da sua própria força, a garantia mais segura, de dentro e de fora, da sua própria existência. O sentimento de direito legal é a raiz da árvore. Se a raiz não prestar, perecer entre as rochas e a areia, todo o restante será uma ilusão, a tempestade vem e a toma pelas raízes, mas o tronco e o topo têm a vantagem de que são vistos, enquanto as raízes ficam escondidas na terra e fora de vista. A influência desastrosa que leis injustas e instituições legais ruins exercem no poder moral da nação age debaixo da terra, naquelas regiões em que muitos políticos amadores não dispensam atenção – eles se preocupam apenas com o topo; do veneno que sobe ao topo da raiz eles não conhecem nada. Porém, o despotismo sabe bem onde deve bater para derrubar a árvore; ele deixa o topo intocado no início, mas destrói as raízes. O despotismo sempre começa atacando o direito privado, com a violação dos direitos legais do indivíduo; quando o trabalho está feito, a árvore cai. Por isso a necessidade, sobre tudo, de opô-lo aqui, e os romanos sabiam bem o que estavam fazendo quando aproveitavam de um atentado ao pudor e à honra de uma mulher para por fim à realeza e ao decenvirato. Destruir o sentimento de liberdade pessoal dos camponeses por meio de impostos e serviços, colocar os cidadãos sob a guarda da polícia, fazer a permissão de poder viajar dependente em obter um passaporte, e do pensamento do autor na aprovação da censura, impor impostos à medida do capricho – até mesmo Maquiavel poderia ter dado uma receita melhor para acabar com qualquer sentimento de liberdade pessoal em um povo e assegurar ao despotismo uma conquista sem resistência. Que a mesma porta que se abre para o despotismo e a arbitrariedade permanece aberta ao inimigo estrangeiro também não é levado em consideração; e somente quando o inimigo está ali, e é tarde demais, o sábio reconhece que o poder moral e o sentimento de direito legal de um povo são as barreiras mais eficazes que podem ser elevadas contra inimigos externos. Foi na época em que os camponeses e cidadãos eram sujeitos à arbitrariedade feudal e absoluta que Alsácia e Lorena foram perdidas ao Império Alemão. Como é que essas províncias podiam ter pelo Império um sentimento que já não tinham por elas mesmas?

Porém, é nossa própria culpa se compreendemos os ensinamentos da história apenas quando é tarde demais; não é culpa deles se não os compreendemos a tempo. O poder de um povo é sinônimo da força do seu sentimento de direito legal. O cultivo do sentimento nacional de direito legal é cuidar da saúde e da força do Estado. Ao falar de cultivação e cuidado, não estou me referindo à educação e instrução, mas ao desempenho na prática de todos os princípios de justiça em todos os relacionamentos da vida. Não é, porém, suficiente se ocupar somente com os mecanismos externos da lei, ela pode, realmente, ser tão organizada e direcionada que a mais perfeita ordem reine, mas mesmo assim a demanda acima mencionada pode ser completamente ignorada. Princípios como a servidão da gleba, o imposto pago por judeus para obterem proteção e outras instituições do passado que iam claramente contra um sentimento forte e saudável de direito legal e assim feriam o próprio estado, talvez mais até do que os cidadãos, camponeses e judeus sobre os quais eram impostos, em primeira instância eram bons para manter a lei e a ordem. A clareza e a certeza da lei, acabar com todos aqueles princípios que podem fazer com que um sentimento de direito legal se ofenda em qualquer esfera da lei, não apenas na lei privada, mas na força policial, da independência administrativa, financeira e legislativa das cortes, a maior perfeição possível do procedimento legal – isso é uma forma mais certeira de aumentar o poder do Estado do que aumentando o investimento no Exército. Cada provisão feita que as pessoas julguem injustas e cada instituição que elas detestam é uma ferida ao sentimento nacional de direito legal e assim à força nacional, um pecado contra a ideia da lei, o peso do qual acaba caindo sobre o próprio Estado, e pelo qual ela frequentemente acaba pagando. Sob certas circunstâncias pode até custar a sua província. Eu não sou realmente da opinião que o Estado deve evitar esses pecados por causa das oportunidades simplesmente. Pelo contrário, acredito que é o dever mais sagrado do Estado realizar essa ideia por si própria; mas isso pode ser idealismo doutrinal, e eu não tenho como culpar o político ou governante prático que recusa essa demanda dando de ombros. E apenas nesse relato eu expressei o lado prático dessa pergunta, o lado que ele entende por completo; pois a lei e o interesse do Estado, aqui, caminham lado a lado. Não há sentimento de direito legal, não importa o quão saudável seja, que pode, a longo prazo, resistir à influência de leis ruína; ela se torna fraca, e padece. Pois a essência do direito legal é, como já demonstrei, a ação. O que o ar é para a chama a liberdade para agir é para o sentimento de direito legal. Negue essa liberdade a ele, e o sentimento morre.

CAPÍTULO VI

A Lei Romana de hoje e a luta pela lei

Talvez eu pare por aqui, pois o meu assunto está esgotado. O leitor, porém, deixará que eu chame a sua atenção para uma outra questão bastante relacionada com o assunto tratado: a questão de como as nossas leis atuais, ou mais precisamente, a lei romana de hoje, a qual eu me sinto capaz de julgar, correspondem às exigências descritas nas páginas anteriores. Não hesito em dizer que a lei romana não corresponde a elas. Ela está muito aquém dos pedidos para um sentimento saudável de direito legal, e não porque ela não encontrou, em muitos casos, a solução, mas porque a sua forma de olhar as coisas é diametralmente oposta ao idealismo descrito acima como constituindo a essência do sentimento saudável de direito legal – eu me refiro ao idealismo visto na violação da lei um ataque não somente no objeto, mas na pessoa em si. A nossa lei civil não dá a esse idealismo o menor apoio. À medida com que ela analisa todas as violações de direito, com a exceção de um ataque à honra do homem, é por meio do valor material. Ela não é nada além da expressão perfeita do materialismo mesquinho.

Porém, o que a lei deve garantir para a pessoa cujos direitos legais foram infringidos, na sua propriedade, o objeto do litígio ou o seu valor? Se isso for verdadeiro, o ladrão, então, poderá ficar livre, após o objeto ser devolvido. Porém, nos dizem que o ladrão comete um crime não apenas contra a pessoa que ele roubou, mas também contra as leis do Estado, contra a ordem, contra a lei moral. E não é esse também o caso do devedor que nega a dívida, do vendedor ou do arrendador que quebra o contrato e do agente que abusa da confiança que eu depositei nele? Satisfaz o meu sentimento de direito legal ferido, receber, de todas essas pessoas, após uma longa batalha, apenas aquilo que me pertencia no início? Mas, mesmo deixando esse desejo de satisfação fora da consideração, um desejo que não hesito em considerar bastante justificável, que distúrbio do equilíbrio natural para as partes envolvidas! O perigo de uma decisão desfavorável do processo para uma é a perda da sua propriedade, e para o outro a restituição do que ele pegou injustamente. No caso contrário, um tem a vantagem de que não perde nada, e o outro de que ele acumula riquezas à custa do seu adversário. Isso não provocaria muitas mentiras dando um prêmio aos desleais? Mas eu tenho, aqui, nada feito além de caracterizar a nossa lei.

Logo mais, terei a oportunidade de provar essa minha opinião, mas eu acredito que será mais fácil fazer isso se, como ponto de contraste, eu me referir à atitude que a lei romana assumiu perante essa questão.

Separo a respeito disso três estágios de desenvolvimento. O primeiro é o da violência sem fronteiras do sentimento de direito legal, ainda incapaz de ter autocontrole, da lei mais antiga; o segundo é a força mensurada do sentimento de direito legal na lei intermediária; e o terceiro é o declínio do sentimento de direito legal ao final do Império, e especialmente no direito de Justiniano.

Resumo aqui, em poucas palavras, o resultado das pesquisas que fiz e publiquei em um outro trabalho, na forma em que essa questão aparece no primeiro estágio do seu desenvolvimento. Nesse estágio, tal era a sensibilidade do sentimento de direito legal que cada violação ou ataque nos direitos pessoais era visto do ponto de vista de injustiça subjetiva e o nível de culpa do agressor não era levado em consideração. O homem que negava uma simples dívida (*nexum*), ou o dano causado à propriedade do outro, pagava, se perdesse a causa, o dobro; e assim a pessoa que, em um processo pela propriedade de algo, tendo tomado os seus frutos, era condenada a retornar o valor em dobro, sem prejuízo da perda do *sacramentum*. O demandista tinha que sofrer a mesma penalidade quando perdia o processo, pois ele tinha demandado a propriedade de outro; e se errasse, mesmo que por pouco, o valor ao qual justamente tinha direito, perdia tudo.

Muitos desses princípios e dessas provisões da lei antiga passaram para a lei mais moderna, mas as criações independentes da lei dão um novo espírito e elas. Pode ser descrito como o uso e a aplicação da medida da culpa em todos os casos da violação do direito privado. Injustiça objetiva e subjetiva são bem separadas. A primeira implica somente a restituição do objeto, a segunda soma a isso uma penalidade, às vezes uma multa, às vezes uma desgraça; e essa aplicação proporcional de uma penalidade é um dos pensamentos salutares da lei romana intermediária. Que um depositário culpado da quebra de confiança de negar o depósito ou se recusar a restaurá-lo, que o agente ou guardião que houvesse usado a sua posição de confiança para promover os seus próprios interesses, ou que tivesse cientemente desprezado o seu dever, poderiam escapar simplesmente restaurando o objeto ou pagando pelo dano causado, era algo que o sentimento saudável de direito legal dos romanos não podia aceitar. Ele demandava, fora isso, a aplicação de uma penalidade pelo mal causado, para satisfazer a sentimento de direito legal ferido e para dissuadir outros a fazer o mesmo. As penalidades aplicadas eram, em primeiro lugar, infâmias – em Roma, umas das penalidades mais severas, pois ela incluía, fora a degradação social que ela produzia, a perda de todos os direitos políticos, a morte política. Ela era aplicada em todos os casos em que a violação do direito legal era um caso agravado de quebra de lealdade. Em seguida, vinham as penalidade pecuniárias, muito mais utilizadas naquela época do que agora. Para a pessoa que, em uma causa injusta, instituísse um processo, ou permitisse que um fosse instituído, havia um arsenal de meios de intimação prontos a serem utilizados. Começavam com frações (1/10, 1/5, 1/3, ¼) do objeto em litígio, e subiam para múltiplos do seu valor, sob certas circunstâncias, em que não era possível quebrar a obstinação do adversário de qualquer outra forma, *ad infinitum*, isto é, até o valor que o litigante declarava ser satisfatório sob juramento. Haviam especialmente duas formas de proceder, os interditos proibitórios do Pretor e as *actiones arbitrariae*, que tinham como propósito compelir o acusado a desistir sem maiores consequências desvantajosas, ou esperar ser considerado um violador intencional da lei e ser tratado como tal. Eles incentivavam o acusado, quando ele persistia em resistir, ou em seu ataque, a não só restringir a sua ação à pessoa do acusado, mas ao seu trabalho contra as autoridades também; e assim não eram mais apenas os direitos legais do litigante que estavam em discussão, e sim a própria lei na autoridade dos seus representantes.

O objetivo dessas penalidades era o mesmo das penalidades no direito criminal. Era, por um lado, um objetivo puramente prático, de guardar os interesses da vida privada contra violações que não eram consideradas criminais, e, por outro lado, um objetivo moral, de providenciar satisfação ao sentimento ferido de direito legal; não da pessoa diretamente afetada, mas de todos aqueles que sabiam do caso, e assim reafirmar a autoridade da lei. O dinheiro não era o fim que tinham em mente, mas apenas o meio para o fim.[29]

A forma como o direito romano intermediário via essa questão é, aos meus olhos, algo incrível. Era igualmente distante de dois extremos, da lei antiga, que colocava a injustiça objetiva no mesmo nível da injustiça subjetiva, e da lei atual, que levando ao outro extremo rebaixa a injustiça subjetiva ao nível da injustiça objetiva. Ele dava satisfação completa às exigências legítimas que poderiam ser levantadas pelo sentimento mais justo

29 Há provas contundentes do que eu digo em *actiones vindictam spirantes*. Eles mostram esse ponto de vista ideal claramente, e o objeto em questão não era um valor em dinheiro ou a restituição de algo, mas reparação de um ataque ao sentimento de direito legal, e no sentimento de personalidade (*magis vindictae quam pecuniae habet rationem*). Por isso, essas ações não continuavam aos herdeiros, não podiam ser objeto de cessão, nem intentadas pelos credores, elas prescreviam após um prazo curto, e portanto não tinham lugar quando era demonstrado que a pessoa prejudicada não havia sentido a injustiça cometida com ele (*ad animum suum non revocaverit. De injur, 47, 10*).

de direito legal, pois não se satisfazia em separar as duas espécies de injustiça, mas podia discernir e dar expressão inteligente à forma, ao modo, à gravidade, e a todas as variações de injustiça subjetiva.

Examinando agora o último estágio do desenvolvimento do direito romano, como tem sido definitivamente fixado, nos Institutos de Justiniano, eu não consigo resistir à tentação de chamar atenção à importância da lei hereditariedade, tanto para a vida do indivíduo quanto para a nação. O que a lei desse período seria se tivessem que criá-la pelos seus próprios esforços? Porém, assim como muitos herdeiros, incapazes de se sustentar, vivem à custa das riquezas acumuladas pelos seus antepassados, um povo cansado e decadente subsiste, por muito tempo, do capital intelectual de uma era vigorosa que os antecedeu. Eu não quero dizer aqui que simplesmente se aproveita do trabalho dos outros sem qualquer prejuízo para si. Eu chamaria atenção, sobretudo, ao fato de que está na natureza desses trabalhos, dessas criações e instituições do passado preservar, durante um bom tempo, e reviver, o espírito que lhes deu vida. Eles mantêm dentro deles uma força latente que se transforma em força ativa ao entrar em contato com pessoas. Nesse sentido, o direito privado da república em que era refletido o sentimento energético e vigoroso que o antigo povo romano tinha pelo direito legal, serviu ao império por um tempo como uma fonte viva. Na vastidão do deserto do mundo posterior, foi o único oásis onde a água fresca fluía. Porém, o despotismo não permitia que nenhuma planta florescesse; e o direito privado sem conseguir manter vivo sozinho o espírito que era odiado em todos os outros lugares foi obrigado a sucumbir, mesmo que por último, ao espírito da nova era. Esse espírito se apresenta a nós de uma forma bastante estranha. Talvez esperamos encontrar nele marcas de despotismo, severidade, necessidade de consideração, porém, o que encontramos é exatamente o contrário – suavidade e humanidade, mas essa suavidade é própria do despotismo, isto é, ela rouba de uma pessoa o que ela dá à outra – é a suavidade da arbitrariedade e do capricho, não da humanidade – é a penalidade da crueldade. Aqui não é o lugar para dar todas as provas nas quais eu me baseio. Será suficiente, me parece, chamar atenção a um traço significante desse caráter, um que é rico em material histórico – a moderação e consideração demonstrada com o devedor à custa do credor. Acredito que é possível, se dizer que como máxima geral a simpatia com o devedor é um sinal de uma época fraca. Essa simpatia é humanidade. Uma época de vigor se preocupa, antes de mais nada, em afirmar os direitos dos credor.

Chego agora ao direito romano dos dias de hoje. Eu estou quase arrependido de tê-lo mencionado, pois agora me vejo obrigado a julgá-lo, sem poder defendê-lo como eu gostaria, mas não hesito em dizer a minha opinião.

Para resumir os meus pensamentos sobre esse assunto em poucas palavras, eu diria que vejo na história e em toda a aplicação do direito romano moderno uma preponderância marcada, feita necessária até um certo ponto pelas circunstâncias, da erudição pura sobre todos aqueles fatores que em outro lugar determinam a formação e o desenvolvimento da lei: o sentimento nacional de direito legal, a prática e a legislação. É uma lei estrangeira, escrita em uma língua estrangeira, introduzida por estudiosos que são os únicos a compreendê-la perfeitamente, e exposta, desde o princípio, a influências diferentes de dois interesses completamente opostos, e frequentemente em conflito: a influência da ciência e da aplicação prática e progressiva da lei. A prática, porém, não tem a força necessária para dominar completamente o espírito da lei. Fica, portanto condenada à dependência permanente na teoria; e é assim então que o particularismo prevalece na legislação e na administração da justiça sobre as tentativas fracas e limitadas de chegar à centralização. Podemos, então, ficar surpresos em ver que havia um abismo enorme entre essa lei e o sentimento nacional de direito legal, que o povo não entendia a sua lei, ou a lei o seu povo? As instituições e os princípios que na Roma eram, considerando as circunstâncias e os costumes da época, inteligíveis, se tornaram aqui, em virtude do completo desaparecimento das suas condições anteriores, uma verdadeira maldição; e nunca houve um modo de administrar justiça com mais poder que isso para acabar com a confiança do povo na lei e em toda a sua existência. O que o homem simples e honesto pode vir a pensar quando o juiz, diante de quem ele aparece com um documento mostrando que o seu oponente admite a sua dívida com ele de cem dólares, diz que o título não é obrigatório, como constituindo uma *cautio indiscreta*? Ou quando um documento que diz que um empréstimo é a base de uma dívida é declarado como não tendo força probatória antes de expirar um prazo de dois anos?

Contudo, não quero entrar aqui em detalhes; não saberíamos onde isso acabaria. Prefiro me restringir a demonstrar duas instâncias de aberrações – não posso chamá-las de qualquer outra coisa – na nossa jurisprudência, que são de uma natureza fundamental e que contêm os verdadeiros germes da injustiça.

A primeira consiste em que a nossa jurisprudência moderna tem perdido de vista a simples ideia já demonstrada, de que, no caso da violação dos direitos legais de uma pessoa, não é apenas o valor que está em jogo, mas a sentimento ferido do direito legal. A sua medida é o materialismo mais vazio – dinheiro e nada mais. Eu me lembro de ter ouvido um juiz que, quando o valor do objeto do litígio era pequeno, para não ter que continuar com o processo, ofereceu pagar do seu próprio bolso o valor em questão, e ainda ter ficado muito ofendido quando a oferta foi recusada. Que o litigante estava lutando pelo seu direito legal e não pelo dinheiro era uma ideia que o juiz não conseguia entender; e não podemos culpá-lo por isso. A condenação monetária que, nas mãos do magistrado romano, era uma das formas mais poderosas de fazer justiça ao sentimento ideal de direito legal ferido se tornou, sob a influência da nossa teoria das provas, em um dos mais vãos paliativos que a autoridade judicial já utilizou para evitar injustiça. O litigante é obrigado a provar até o último centésimo o valor que ele está processando. O que é, então, a proteção da lei quando não há interesse pecuniário? O proprietário exclui o locatário do jardim do qual segundo o contrato ele tem o direito de usufruir. Como é que o locatário pode provar o valor monetário de permanecer algumas horas no jardim? Um dono de hotel diz que não há mais vaga para um hóspede que havia feito uma reserva tempos atrás. Tente estimar em dinheiro, ou melhor, que compensação a corte dará para tais situações. Na França, serão milhares de francos; na Alemanha, não será nem um tostão, pois o juiz alemão responderá que inconveniência não pode ser estimada em dinheiro. Um professor particular que acordou com uma instituição privada que daria aula aos alunos subsequentemente aceita uma proposta melhor e quebra o seu contrato; outro professor não é encontrado a tempo. Como se calcula o valor perdido pelos alunos de não terem as suas aulas em determinada matéria durante semanas ou meses. Suponha que uma *chef* deixa o restaurante em que trabalha sem razão, e assim o dono do restaurante passa por uma situação difícil. Como pode ser estimado o valor dessa situação? Em todos esses casos, as pessoas na Alemanha não têm apoio, pois a assistência que a lei garante a alguém que teve os seus direitos legais invadidos supõe que possam dar provas que eles não têm. Isso é o reino da injustiça. Não é a inconveniência a que se está sujeito em tudo isso que é pior; é o sentimento amargo de que os seus direitos inquestionáveis podem ser pisoteados e que não há nada que possa ser feito.

Não devemos culpar o direito romano por esses defeitos, pois, por mais que sempre tenha mantido o princípio de que o julgamento final deve sempre ter o dinheiro como base, sempre soube aplicar a condenação pecuniária de tal forma que ela protegesse não apenas os interesses pecuniários, mas todos os outros interesses legais. A condenação a pagar uma quantia era a forma usada pelo juiz para pressionar os civis a obedecerem-no em questões civis. O réu que se recusava a fazer o que o juiz mandava não saía apenas com o valor do objeto que ele devia, mas a condenação pecuniária usada aqui funcionava como uma pena, e essa consequência do processo assegurava ao autor uma satisfação que, sob certas circunstâncias, ele valorizava mais do que o valor do objeto; ou seja, a satisfação moral pela violação frívola dos seus direitos legais. A nossa lei atual não contempla essa satisfação; ela não a conhece; ela conhece apenas o valor da obrigação que não foi cumprida.

Com essa insensibilidade da lei atual com os interesses ideais afetados pela violação do direito legal, está também a abolição das penas privadas do direito romano. O maior tipo de desonestidade, se for feito com habilidade suficiente para escapar da lei criminal, escapa nos dias de hoje, inteiramente livre e sem punição. Por outro lado, as penalidades monetárias (*Geldstrafen*) e as penalidades de *negação sem base* estão nos livros de direito, mas nunca são aplicadas na prática. O que isso significa? Apenas que conosco o injustiça subjetiva é reduzida ao nível da injustiça objetiva. Entre o devedor que descaradamente nega o seu empréstimo e o herdeiro que faz o mesmo em boa-fé; entre o agente que me enganou e o que simplesmente se enganou, a nossa lei não conhece a diferença. Em toda parte, o processo se vira apenas em torno dos interesses monetários. Os nossos advogados hoje estão tão distantes de acreditar que o equilíbrio da Justiça deveria, tanto no direito privado quanto no criminal, pesar a injustiça que foi feita, e não apenas os interesses pecuniários, que, ao ousar falar disso, espero ouvir que é precisamente nisso que está a diferença entre o direito criminal e o direito das pessoas. Sim, isso é verdade na nossa lei, infelizmente, mas não é verdade na lei em si. Seria necessário primeiro provar para mim que há uma parte da lei em que a ideia da justiça não deve ser realizada por completo. Porém, a ideia da justiça é inseparável da ideia de responsabilidade.

A segunda das aberrações da nossa jurisprudência moderna, referida acima, consiste na teoria de evidência que ela estabelece. Poderíamos ser pensar que essa teoria foi inventada apenas com o propósito de frustrar a lei. Se todos os devedores no mundo tivessem se juntado para conspirar sobre uma forma de acabar com os direitos dos credores, não haveria uma forma mais eficaz de conseguir isso do que aquela presente na nossa lei. Nenhum matemático poderia formar um método melhor de prova do que o usado pela nossa jurisprudência. Ela chega ao cúmulo da irracionalidade no processo por perdas e danos. O abuso excessivo, para usar da linguagem de um jurista romano[30], causado aqui na lei sobre a

30 Paulus in 1.91, p. 3, de V. O. (45,1), "*in quo genere plerumque sub autoriate juris scientiae perniciose erratur.*" Somente o jurista tinha aqui outra aberração em mente.

aparência da lei, e o contraste beneficente que a forma de agir inteligente que os tribunais franceses oferecem foram descritos de tantas formas em trabalho recentes que não tenho que dizer mais nada; uma coisa apenas não posso deixar de falar: pobre autor, e feliz réu!

Se eu fosse resumir tudo o que eu disse até agora, talvez a última exclamação fosse um aviso para a nossa jurisprudência moderna e prática. Avançamos muito no caminho que Justiniano começou; não é o credor, mas o devedor que tem a sua simpatia, e ele preferiria sacrificar os direitos de cem credores do que lidar de forma severa com um devedor.

Aquele que não é conhecedor da lei poderia até acreditar que é praticamente impossível adicionar qualquer coisa a essa ilegalidade parcial, um legado de uma teoria falsa de criminalistas, que se ocupam com nossa lei civil e nosso modo de proceder, e, mesmo assim, até essa teoria é superada pela aberração dos antigos criminalistas, que pode ser caracterizado como um atentado contra a própria ideia da lei e como a crime mais odioso contra o sentimento de direito legal cometido pela ciência. Aqui, eu me refiro à paralisação vergonhosa do direito de autodefesa, aquele direito original do ser humano, que, como Cícero diz, é uma lei estabelecida pela própria natureza, e que os juristas romanos foram espertos o suficiente para acreditar que não poderia ser ignorada em qualquer lei mundial. ("*Vim vi repellere omnes leges omniaque jura permittunt.*") Poderiam ter se convencido do contrário no último século, e até mesmo no nosso. Os sábios, realmente, admitiram esse direito em princípio, mas, sentindo pelo criminoso a mesma simpatia sentida pelos juristas da lei civil e seu modo de lidar com o devedor, eles procuraram na prática limitar o direito, de tal forma que protegeram o culpado e deixaram aquele que fora atacado sem proteção. Que enorme abismo da degeneração do sentimento de personalidade, de falta de humanidade, do definhamento do sentimento de direito legal, quando lemos a literatura sobre essa teoria! Podemos quase nos imaginar na companhia de homens castrados. O homem cuja vida ou honra é ameaçada, nos é dito, deve desistir ou fugir – isso é deixar o campo livre para a injustiça – e esses sábios descordavam apenas sobre uma questão: se oficiais, nobres e outras pessoas de autoridade também deveriam fugir. Um pobre soldado que, para obedecer a essa ordem, retirou-se duas vezes, mas que, sendo perseguido pelo seu adversário, finalmente resistiu e matou seu perseguidor, foi condenado à morte como uma lição salutar para ele e um exemplo aos outros.

Pessoas de alta posição e famílias distintas, como oficiais, deveriam poder resistir em defesa da sua honra, mas, diz ainda outro, para limitar isso, no caso de mero ferimento verbal, não poderiam matar o agressor. Havia, por outro lado, outras pessoas, até mesmo oficiais do Estado, que não poderiam usufruir desse privilégio; e os ministros da justiça civil eram excluídos com o seguinte comentário: "como meros homens da lei, apesar dos seus pedidos, eles tinham que depender da lei e dos direitos acordados a todos, e assim não poderiam ter outras pretensões". A sorte dos comerciantes era a pior. "Comerciantes, até os mais ricos, não fazem exceção. A honra é o seu crédito, eles só têm honra enquanto têm dinheiro; eles podem, portanto, sem perigo de perder a sua honra ou reputação, suportar ser chamado de nomes terríveis, e quando pertencem à classe mais baixa, suportar um tapa, se não for muito doloroso, ou uma bofetada no nariz." Se o infeliz era um judeu ou um camponês, ele tinha que, por violar essa prescrição, suportar a pena de autodefesa proibida, enquanto outras pessoas eram punidas o "quão brandamente possível".

Porém, o que é especialmente edificante é a forma como tentavam excluir o direito à autodefesa quando uma questão de propriedade estava em jogo. O direito à propriedade, alguns diziam, era como a honra, uma perda reparável; o primeiro era reparado pelo *reivindicatio*, o segundo pelo *actio injuriarum*. Mas e se o ladrão fugiu e está em terras estrangeiras, e ninguém sabe onde ele está ou quem ele é? O proprietário ainda *de jure* o *reivindicatio*, e "é somente a consequência de circunstâncias acidentais, inteiramente independente da natureza do direito de propriedade, que, em alguns casos, nem sempre chega ao final proposto". Com isso, deve se conformar a pessoa que carrega consigo tudo o que possui. Ele ainda mantém sua propriedade e o *reivindicatio*, e o ladrão não tem nada fora a posse de *fato*! Isso me lembra do homem que, quando roubado, se consolou em saber que o ladrão não saberia usar o objeto roubado. Outros admitem que, quando algo de grande valor está em jogo, é permissível utilizar força, apenas como último recurso, mas fazem com que seja o dever da pessoa atacada, independente de quanta excitação esteja sentindo, pense cuidadosamente sobre quanta força é necessária para repelir o ataque. Se ele quebra o crânio do agressor sem necessidade, em uma situação em que qualquer outra pessoa conseguiria repelir o agressor com golpe certeiro, ele é responsabilizado! Por outro lado, no caso de objetos de menos valor, como um relógio de ouro ou uma carteira com algumas moedas, ou mesmo centenas de moedas, ele não deve, por nada, ferir o seu agressor. Pois o que é um relógio comparado à vida ou uma perna ou braço? A perda do objeto pode ser reparada; a perda do outro é irreparável. Isso é uma verdade indiscutível, mas que o relógio pertence àquele que foi atacado e a perna ou braço ao ladrão é esquecido. Sem dúvida tem para ele um valor incalculável, enquanto para a pessoa atacada não tem valor algum, e assim permanece a pergunta: Quem repara a perda do relógio?

Chega de falar dessa perversidade dos sábios. Que profunda tristeza deveríamos sentir ao ver que o pensamento, tão simples e justo, e tão em harmonia com o verdadeiro sentimento de direito legal, que, em todo direito legal, seja o objeto em questão apenas um relógio, a pessoa e todos os seus direitos são atacados, desapareceu da lei de tal forma que o sacrifício dos direitos e a fuga covarde da injustiça poderiam ser levantados à dignidade de um dever. Podemos pensar que, em uma época em que a ciência ousava apoiar tais doutrinas, a covardia e o suporte apático à injustiça eram características da nossa história nacional? Vamos nos congratular que vivemos em outra época. Tais teorias são impossíveis em nossos dias. Elas podem florescer apenas no mangue pelo qual uma nação, podre do ponto de vista político e legal, se arrasta.

Essa teoria de covardia, da obrigação de sacrificar os seus direitos ameaçados, é a teoria mais oposta à que nós sustentamos, que a batalha corajosa pelos seus direitos legais é um dever nosso. Não muito longe disso, porém longe o suficiente do sentimento saudável do direito legal, está a visão do filósofo moderno, Herbart, sobre a base do direito. Herbart vê a base do direito em uma motivação estética – não podemos chamar de outra coisa –, a aversão à batalha. Aqui não é o lugar para mostrar quão insustentável é essa visão, e fico feliz em me referir às escritas de Julius Glaser para refutá-la. Porém, se tivéssemos que estimar a lei de um ponto de vista estético, eu não sei se, em vez de ver o que é belo na lei na exclusão de uma batalha, eu não preferiria vê-lo na admissão de uma batalha. Eu tenho coragem de expressar uma opinião diretamente oposta à opinião de Herbart, e honestamente eu confesso sentir prazer na luta. Eu não me refiro aqui a apenas uma guerra de palavras, ou uma discussão sobre nada. Eu me refiro àquela batalha sublime em que o homem coloca em jogo a sua própria pessoa e tudo o que ele tem pelos seus direitos ou os direitos do seu país. A pessoa que culpar o amor pela batalha nesse sentido pode apagar toda a literatura e toda a arte desde a *Ilíada* de Homero e as esculturas dos gregos até os dias atuais. Há praticamente nenhum outro assunto que tem recebido mais atenção da caneta do poeta ou do pincel do pintor do que batalha e guerra; e teríamos que ir longe para encontrar alguém cujo gosto estético está mais desgostoso do que feliz com a contemplação da demonstração maior do poder humano do que demonstrado por meio da escultura e poesia. O maior problema da arte e da literatura é a defesa do homem de uma ideia, seja essa ideia a lei, seja a nação, seja a fé, seja a verdade. Essa defesa é sempre uma batalha.

Não é a estética, mas a ética que tem que nos dizer o que está em harmonia e o que contradiz a ideia da lei. Porém, a ética, longe de rejeitar a batalha pela lei, o abraça como um dever. O elemento de tensão e de batalha que Herbart eliminaria da ideia da lei é uma parte integral dela, e o tem sido desde o início – a batalha é o eterno trabalho da lei. A frase: "Do suor do seu rosto ganharás o seu pão" está no mesmo nível que esta outra: "Através da luta ganharas os seus direitos". No momento em que a lei renuncia a apoiar a luta, ela se abandona, pois o que diz o poeta, que só merece a liberdade e a vida aquele que as conquista por si próprio todos os dias, também é verdadeiro para a lei.

Páginas: 160
Família Tipografia: Electra LT Std
Composição: Lumiar Design Estúdio